中華國學經典百部
精華本

格言联璧

［清］金缨 著
焦亮 译注

中国书店

图书在版编目（CIP）数据

格言联璧 /（清）金缨著；焦亮译注 . —北京：中国书店，2023.10
（中华国学经典百部：精华本）
ISBN 978-7-5149-2963-8

Ⅰ . ①格… Ⅱ . ①金… ②焦… Ⅲ . ①格言—汇编—中国—古代②《格言联璧》—译文 Ⅳ . ① H136.33

中国版本图书馆 CIP 数据核字（2022）第 075475 号

格言联璧
〔清〕金缨 著 焦亮 译注
责任编辑：张菁

出版发行：中国书店
地 址：北京市西城区琉璃厂东街 115 号
邮 编：100050
电 话：（010）63171753（总编室）
（010）63017857（发行部）
印 刷：三河市嘉科万达彩色印刷有限公司
开 本：787mm × 1092mm 1/32
版 次：2023 年 10 月第 1 版第 1 次印刷
字 数：159 千
印 张：6（全 300）
书 号：ISBN 978-7-5149-2963-8
定 价：1490.00 元（全 50 册）

前言

清代学者金缨所作的这部《格言联璧》，是对传统文化的经典演绎和解读。它的内容发人深省，语言简练优美，是一部非常出色的启蒙读物。

《格言联璧》是一部教人如何在俗世中生活的操作指南，内容简洁恳切，并且与儒家思想一脉相承。儒家所推崇的成仁之道“修身、齐家、治国、平天下”，传达了古代仁人志士的普遍追求：首先完善个人的品行和道德修养，继而建立和睦美好的家庭，接着运用自己的所学治理国家，使得天下太平，社会和谐，人民丰衣足食，从而也成就自己的一番事业，为后人传颂。在本书中，作者详细而清晰地说明了实践圣人之至理真言的具体步骤，即我们应该按照怎样的标准要求自己，在哪些方面修正自己的言行，最终实现自己的价值。与此同时，书中不乏作者自己的所思所见所闻，这一方面让圣人的至理名言更加贴近读者，使读者易于学习和体会，另一方面令书的内容更加丰富，使我们可以从中了解明清之际的学术风貌和社会风气。

首先，从形式上来看，本书结构清晰，作者从《大学》《中庸》等书中挑选了“正心”“格物”“致知”“修身”“齐家”“治国”“平天下”等重要理念作为书的架构。全书共有学问类、存养类、持躬类、摄生类、敦品类、处事类、接物类、齐家类、从政类、惠言类、悖凶类等十一个大类，基本涵盖了生活、学习、做事的各个方面。它还可以充当索引，供读者挑选自己最感兴趣的部分阅读。

其次，全书语言优美简练，文言文与白话文交替使用，兼具文言文凝练优美和白话文生动浅显的优点，读者可以领略古代汉语的魅力，同时也不会因为内容过于晦涩难懂而丧失阅读的兴趣。

再者，全书在音韵方面也很有特色。书的内容大多来自经典古籍，作者采用短小、押韵的词语将其改写成熟语或者简练的段落，使之读起来朗朗上口，回味无穷，易于背诵和记忆。

如果读者想要挑选一本启蒙读物，我们相信《格言联璧》是极好的选择。

作者自序

余自道光丙午岁（1846年），敬承先志，辑《几希录续刻》。工竣后，遍阅先哲语录，遇有警世名言，辄手录之。积久成帙，编为十类，题曰《觉觉录》。惟卷帙繁多，工资艰巨，未能遽（立即）付梓人。因将《录》内整句，先行刊布，名《格言联璧》，以公同好。至全《录》之刻，姑俟异日云。

咸丰元年（1851年）仲夏，山阴金缨兰生氏谨识。

目 录

学问类…………………… 001

存养类…………………… 016

持躬类…………………… 032

摄生类…………………… 070

敦品类…………………… 077

处事类…………………… 084

接物类…………………… 092

齐家类…………………… 117

从政类…………………… 127

惠言类…………………… 142

悖凶类…………………… 162

学问类

【原文】

古今来许多世家[1]，无非积德；

天地间第一人品，还是读书。

【注释】

①世家：泛指门第显赫、世代为官的人家。

【译文】

古往今来的许多名门望族，无不是因积善成德而有名望；

天地之间最高尚的人品，还是要靠读书培养的。

【原文】

读书即未成名，究竟人高品雅；

修德不期获报，自然梦稳心安。

【译文】

用心读书，即使没获得功名，也还是使人品行高雅；

修养品德，而不期待回报，也自然睡眠安稳，内心踏实。

【原文】

为善最乐，读书便佳。

【译文】

做善事是最快乐的，读书就是好事。

【原文】

诸君到此何为？岂徒学问文章，

擅一艺微长，便算读书种子？

【译文】

各位到这里是为什么呢？难道只是做学问、写文章，

掌握一门很小的技艺和特长，就算是读书的好苗子了吗？

【原文】

在我所求亦恕，不过子臣弟友，
尽五伦①本分，共成名教②中人。

【注释】

①五伦：中国传统社会五种基本的道德关系，古人以君臣、父子、夫妇、兄弟、朋友为“五伦”。君臣之间有礼义之道，父子之间有骨肉之亲，夫妻之间挚爱而又内外有别，兄弟之间有尊卑之序，朋友之间有诚信之德。②名教：为“正名分”而设立的封建礼教。旧时为了维护社会秩序和政治统治而设置的一套行为规范。

【译文】

我追求的也很简单，不过是作为儿子、臣子、弟弟、朋友都尽到了五种伦理道德的责任，共同成为守礼之人。

【原文】

聪明用于正路，愈聪明愈好，而文学功名①益成其美；
聪明用于邪路，愈聪明愈谬②，而文学功名适济③其奸。

【注释】

①文学功名：指人的才学和名声。②谬（miù）：差误。③济：帮助。

【译文】

把聪明用在正当的地方，越聪明越好，人的才学和名声会有助于成就他的美德；

把聪明用在不正当的地方，越聪明越是错得多，人的才学和名声会助长他的奸恶。

【原文】

战虽有阵，而勇为本。
丧虽有礼，而哀为本。
士虽有学，而行为本。

【译文】

打仗虽然有阵法，但是勇猛才是根本。

丧事虽然有礼节，但是悲痛才是根本。

读书人虽然有知识，但是行为才是根本。

【原文】

飘风[1]不可以调宫商[2]，

巧妇不可以主中馈[3]，

文章之士不可以治国家。

【注释】

①飘风：旋风。②宫商：古代有宫、商、角、徵、羽五音，即古乐的五个基本音阶。③中馈：指家中供膳诸事。

【译文】

旋风不能弹奏出宫商之音，

手巧的妇人不一定能主持好家事，

写文章的人不能治理国家。

【原文】

经济出自学问，经济方有本原。

心性见之事功，心性方为圆满。

舍事功更无学问，求性道不外文章。

【译文】

经国济世的道理来自系统的知识，这样它才有根源。

修身养性之道显现在建立功绩上，它才能圆满。

除了建立功绩外再无别的学问，修身养性之道不能到书外去寻找。

【原文】

何谓“至行”，曰“庸[1]行”。

何谓“大人”，曰“小心”。

何以“上达”，曰“下学”。

何以“远到”，曰“近思”。

【注释】

①庸：平常的。

【译文】

什么是至高的品行？是平日里的品行。

什么是德行高尚的人？是处事谨慎的人。

怎么能明白道理而后照着做呢？要虚心地学习。

怎么能实现伟大的抱负呢？要考虑好眼前的事物。

【原文】

竭忠尽孝，谓之人。

治国经邦，谓之学。

安危定变，谓之才。

经天纬地①，谓之文。

霁月光风②，谓之度。

万物一体，谓之仁。

【注释】

①经天纬地：织物的竖线叫“经”，横线叫“纬”，用以比喻规划天地，纵横天下。②霁月光风：指雨过天晴时的明净景象，用以比喻人的品格高尚，胸襟开阔。

【译文】

竭尽自己的忠诚、孝顺的叫“人”。

能够治理国家的知识叫“学问”。

能够居安思危、平定叛乱的叫“才能”。

能够规划天地、纵横天下的叫“文”。

品格高尚、胸襟开阔叫“度量”。

将世间万物与自己融为一体叫“仁爱”。

【原文】

以心术①为本根，以伦理为桢干②，以学问为菑畬③，
以文章为花萼，以事业为结实，以书史为园林，
以歌咏为鼓吹④，以义理为膏粱⑤，以著述为文绣，
以诵读为耕耘，以记问为居积，以前言往行为师友，
以忠信笃⑥敬为修持，以作善降祥为受用，以乐天知命

为依归。

【注释】

①心术：指人的品德。②桢干：古代筑土墙时竖在两端的柱子叫“桢”，竖在两边的木板叫“干”，用以比喻支柱和骨干。③菑畲：田地。④鼓吹：古代的一种器乐合奏，代指音乐。⑤膏粱：肥肉和细粮，泛指美味的饭菜。⑥笃：忠实，一心一意。

【译文】

把人的品德当作根本，把伦理当作支柱，把学问当作田地，

把文章当作花萼，把个人的成就当作结出来的果实，把书籍史册当作园林，

把歌唱当作音乐，把仁义伦理当作美味的饭菜，把著作论述当作华美的衣服，

把朗诵当作劳作，把记忆和询问当作自己的积累，把以前说的话和做的事当作老师和朋友，

把忠诚、守信、坚定、恭敬当作自己的修养，把做好事给人带来幸福当作自己的快乐，把顺其自然、安守本分当作自己的归宿。

【原文】

懔[1]闲居以体独，卜动念以知几[2]，谨[3]威仪以定命，

敦[4]大伦以凝道，备百行[5]以考[6]德，迁善改过以作圣。

【注释】

①懔：令人敬畏。②几：先兆。③谨：谨守，严守。④敦：注重，推崇。⑤百行：各种品行。⑥考：完成。

【译文】

有所敬畏地闲居来体会独处的意味，一思考就能知道先兆，严守礼仪来安排自己的人生，

注重人伦道德来成为圣贤之人，具备各种品行来完成自己的德行修养，发扬善行、改正过错来做一个贤明的人。

【原文】

收吾本心[1]在腔子里，是圣贤第一等学问；

尽吾本分在素位[2]中，是圣贤第一等工夫。

【注释】

①本心：人的良心。②素位：现在所处的位置。

【译文】

把我的良心收拢在我的身体里，这是圣贤之人最重要的学问；

在现在所处的位置上尽好我的本分，这是圣贤之人最重要的本领。

【原文】

万理澄澈[1]，则一心愈精而愈谨；

一心凝聚，则万理愈通而愈流。

【注释】

①澄澈：明白。

【译文】

明白万物的道理，那么人的心就会更加明亮、更加谨慎；

心能专一，那么万物的道理就能更加通达并且贯通。

【原文】

宇宙内事，乃己分内事；

己分内事，乃宇宙内事。

【译文】

宇宙内的事就是自己的分内之事；

自己分内的事，就是宇宙内的事。

【原文】

身在天地后，心在天地前。

身在万物中，心在万物上。

【译文】

身体在天地之后，心在天地之前。

身处于万物之中，心超然于万物之上。

【原文】

观天地生物气象，学圣贤克己工夫。

【译文】

观察天地和万物的景象，学习圣贤之人克制自己、修身养性的本领。

【原文】

下手处是自强不息，成就处是至诚无息。

【译文】

做事的时候要不懈地努力并且坚持，成功的时候就会是最真心自然的。

【原文】

以圣贤之道教人易，以圣贤之道治己难。

以圣贤之道出口易，以圣贤之道躬行难。

以圣贤之道奋始易，以圣贤之道克终难。

【译文】

用圣贤的道理教导别人很容易，但用圣贤的道理管理自己很难；

说出圣贤的道理很容易，但自己实践圣贤的道理很难。

用圣贤的道理激励自己开始做事很容易，但坚持到最后很难。

【原文】

圣贤学问是一套，行王道①必本天德。

后世学问是两截，不修己只管治人。

【注释】

①王道：治理天下的方法。儒家认为王道就是以仁义治理天下。

【译文】

圣贤的学问是一个整体，实行王道一定遵循着天理和德行。

后世的学问是两个部分，不注重修养自己的品行而只管治理别人。

【原文】

口里伊周①，心中盗跖②，

责人而不责己，名为挂榜③圣贤；

独凛明旦，幽畏鬼神，

知人而复知天，方是有根学问。

【注释】

①伊周：商朝的伊尹和西周的周公旦，两人都曾摄政，是出名的贤臣。②盗跖（zhí）：春秋时期率领众多盗匪的大盗。③挂榜：口头上标榜。

【译文】

口里说的是伊周这样的贤人，心中想的是盗跖这样的大盗，

责备别人却不责备自己，这叫作口头标榜的圣贤；

只有敬畏明日的太阳，敬畏鬼神，

了解人接着了解自然，才是有根基的学问。

【原文】

无根本底气节，如酒汉殴人，

醉时勇，醒来退消，无分毫气力；

无学问底识见，如庖人炀灶[①]，

面前明，背后左右，无一些照顾。

【注释】

①炀灶：指人在灶前烧火。

【译文】

没有根本、坚持正义、不屈服的品质，就像喝酒的人打人一样，

喝醉的时候很勇猛，清醒后勇气就没了，一点力气也没有；

没有以学问为根基的见识，就像厨子在灶前烧火，

他的前面很亮，背后和两边却是黑暗的。

【原文】

理以心得为精，故当沉潜[①]，不然，耳边口头也。

事以典故为据，故当博洽[②]，不然，臆说杜撰[③]也。

只有一毫粗疏处，便认理不真，所以说惟精。不然，众论淆之而必疑。

只有一毫二三心，便守理不定，所以说惟一。不然，利害临之而必变。

【注释】

①沉潜：思想感情深沉，不外露。②博洽：学识广博。③杜撰（zhuàn）：虚构。

【译文】

道理要用心思考才能得到它的精髓，因此人应该深沉内敛，否则道理就成了耳边口头的故事。

事例要以书中的典故为根据，因此人应当学识广博，否则事例就成了胡乱揣测、虚构的了。

就算只有一毫粗心疏漏之处，也会使得对道理的认识不够透彻，因而说的一定要准确。否则多人的言论就会使得它的原意被混淆，从而使人产生怀疑。

就算只有一点三心二意、不专心，也会导致不能坚定地遵守道理，因而说的一定要专心。否则当有关利益的事来临时人就会不坚定。

【原文】

接人要和中有介[1]，处事要精中有果，认理要正中有通。

【注释】

①介：界限，这里指原则。

【译文】

待人要和气但应有自己的原则，处理事情要细致且不乏果断，认识事理要正直且有所变通。

【原文】

在古人之后议古人之失，则易；

处古人之位为古人之事，则难。

【译文】

身处古人之后的年代议论古人的过失，这很容易；

身处古人的位置来做古人的事，这其实很难。

【原文】

古之学者，得一善言，附于其身；

今之学者，得一善言，务[1]以悦人。

【注释】

①务：追求。

【译文】

古代的学者得到了一句很好的话，就会亲自去实践它；

现在的学者得到了一句很好的话，就追求用它来讨别人的欢心。

【原文】

古之君子，病[1]其无能也，学之；

今之君子，耻其无能也，讳之。

【注释】

①病：担心，忧虑。

【译文】

古代的人，为自己没有才能而忧虑，会努力学习；

现在的人，为自己没有才能而觉得丢人，会隐瞒自己的缺点，不让人知道。

【原文】

眼界要阔，遍历名山大川；

度量要宏，熟读五经[1]诸史。

【注释】

①五经：儒家的经典书籍，指的是《周易》《尚书》《诗经》《礼记》《春秋》。

【译文】

眼界要开阔，就要游览名山大川；

度量要宏大，须得熟读经史典籍。

【原文】

先读经，后读史，则论事不谬[1]于圣贤；

既读史，复读经，则观书不徒为章句。

【注释】

①谬：悖谬，偏离。

【译文】

先读儒家的经典书籍，然后读史书，那么谈论古人之事时自己的想法就不会偏离圣贤的想法；

已经读过史书，再读儒家的经典书籍，那么看书时就不只是为了书中的篇章和句子。

【原文】

读经传则根底厚，看史鉴则议论伟；

观云物①则眼界宽，去嗜欲②则胸怀净。

【注释】

①云物：指自然的景物。②嗜欲：嗜好和欲望。

【译文】

读经书和传记能够打好扎实的学习根底，看史籍能够使人谈吐宏伟；

观赏自然的景物能够开阔眼界，戒掉自己的嗜好、放弃过多的欲望能够心中明亮无杂念。

【原文】

一庭之内，自有至乐；

六经①以外，别无奇书。

【注释】

①六经：儒家经典书籍，《周易》《尚书》《诗经》《礼记》《乐经》《春秋》的合称。

【译文】

在自己的庭院内，也会有极致的乐趣；

除了六经，再没有别的奇特的书籍。

【原文】

读未见书，如得良友；

见已读书，如逢故人。

【译文】

读自己没见过的书，就像结识了好朋友；

见到自己读过的书，就像遇到了老朋友。

【原文】

何思何虑，居心当如止水；

勿助勿忘，为学当如流水。

【译文】

何须过多地思考和忧虑呢？心应像静止的水一样波澜不惊；

不急于求成也不要全忘记，做学问应像流水一样源源不断。

【原文】

心不欲杂，杂则神荡①而不收；

心不欲劳，劳则神疲而不入。

【注释】

①神荡：心神不定。

【译文】

用心不能繁杂，繁杂就会使心神不宁难以集中精力；

用心不能劳累，劳累就会使心神疲惫难以深入学习。

【原文】

心慎杂欲，则有余灵；

目慎杂观，则有余明。

【译文】

心中要当心杂乱的欲念，做到了精神就会更加充沛；

眼中要当心杂乱的景观，做到了目光就会更加敏锐。

【原文】

案上不可多书，心中不可少书。

鱼离水则鳞枯，心离书则神索。

【译文】

书桌上不能放很多书，心中不能没有书。

就像鱼离开了水就会鳞片干枯一样，心远离书就会荒芜而导致思维枯竭。

【原文】

志之所趋，无远勿届，穷山距海，不能限也。

志之所向，无坚不入，锐兵精甲，不能御也。

【译文】

人的志向，没有说因为远大而不能实现的，即使它在山的尽头、海的边际，也不能阻挡人的脚步。

人的追求，没有任何困难可以阻拦，即便是精锐的军队、坚固的铠甲，也不能防御人的向往。

【原文】

把意念沉潜得下，何理不可得？

把志气奋发得起，何事不可做？

【译文】

使意念沉淀稳固下来，什么道理不能学会呢？

振奋精神，志气昂扬，什么事情做不成呢？

【原文】

不虚心，便如以水沃①石，一毫进入不得；

不开悟，便如胶柱鼓瑟②，一毫转动不得。

不体认③，便如电光照物，一毫把捉不得；

不躬行，便如水行得车，陆行得舟，一毫受用不得。

【注释】

①沃：浇灌。②胶柱鼓瑟：用胶把柱粘住以后弹琴，柱不能移动，就无法调弦，比喻不懂变通。柱：瑟上调节声音的短木。瑟：一种古代的乐器。③体认：体会。

【译文】

人如果不谦虚，自大自满，就会像用水浇石头，一点儿水都进不到石头里；

人如果不能领悟知识，不懂变通，就会像用胶粘住调弦的柱一样，柱一点儿都转动不得。

人如果不能体会知识的内容，就会像闪电的光照亮事物后转瞬即逝，一点儿都不能保留下来；

人如果不能亲自实践这些知识，就会像在水里开车、在路上划船一样，一点用处都没有。

【原文】

读书贵能疑，疑乃可以启信①；

读书在有渐，渐乃克②底③有成。

【注释】

①启信：启发人思考问题。②克：攻破，弄清楚。③底：内部的情况。

【译文】

读书最可贵的在于能够质疑，有疑问才能使人开始思考；

读书在于循序渐进，循序渐进才能最终弄清道理而有所成就。

【原文】

看书求理，须令自家胸中点头；

与人谈理，须令人家胸中点头。

【译文】

看书研究事理时，要让自己认同；

和人谈论道理时，要让别人认可。

【原文】

爱惜精神，留他日担当宇宙；

蹉跎①岁月，问何时报答君亲。

【注释】

①蹉跎：浪费，虚度。

【译文】

爱惜自己的精神，留着日后做大事；

如果虚度光阴，问问自己什么时候才能报答父母的恩情？

【原文】

戒浩饮，浩饮伤神；戒贪色，贪色灭神；

戒厚味①，厚味昏神；戒饱食，饱食闷神；

戒多动，多动乱神；戒多言，多言损神；

戒多忧，多忧郁神；戒多思，多思挠[②]神；

戒久睡，久睡倦神；戒久读，久读苦神。

【注释】

①厚味：浓重的味道，指美味的食物。②挠：扰乱。

【译文】

要戒除酗酒，酗酒有伤精神；要戒除贪恋美色，贪恋美色会摧毁精神；

要戒除美食，贪恋美食会精神不振；要戒除吃得太饱，吃得太饱会精神萎靡；

要戒除多动，多动会扰乱精神；要戒除多话，多话会损害精神；

要戒除多虑，多虑使精神郁结；要戒除多想，多想会扰乱精神；

要戒除长时间的睡眠，这会使精神倦怠；要戒除长时间的看书，这会使精神衰竭。

存养类

【原文】

性分[1]不可使不足，故其取数也宜多：曰穷理，曰尽性，曰达天[2]，曰入神[3]，曰致广大、极高明；

情欲不可使有余，故其取数也宜少：曰谨言，曰慎行，曰约已，曰清心，曰节饮食，寡嗜欲。

【注释】

①性分：本性，天性。②达天：了解自然的规律。③入神：到达更高的境界。

【译文】

人的本性和天赋不能不发挥出来，因此应该充分地运用：探究事物的道理，释放自己的本性，了解自然的规律，到达更高的境界，从而有广阔的胸襟和气度，内心清明并且品行高尚；

人的感情和欲望不能太多，因此用到它们的时候也应该少一些：说话要谨慎，行事要慎重，约束自己，内心清明，控制饮食，减少嗜好和欲望。

【原文】

大其心，容天下之物；
虚其心，受天下之善；
平其心，论天下之事；
潜其心，观天下之理；
定其心，应天下之变。

【译文】

内心豁达，才能包容世间所有的事物；
内心谦虚，才能接纳世间的美好；

内心平静，才能阔谈世间的成败得失；

内心沉稳，才能体察世间的事理；

内心安定，才能应付世间的无常变换。

【原文】

清明[1]以养吾之神，湛一[2]以养吾之虑，

沉警以养吾之识，刚大以养吾之气，

果断以养吾之才，凝重以养吾之度，

宽裕以养吾之量，严冷以养吾之操。

【注释】

①清明：心怀坦白，公正明达。②湛一：专一，专注。

【译文】

用公正明达来培养我的精神，用专一来培养我的思考方式，

用沉稳机敏来培养我的见识，用坚毅广博来培养我的气魄，

用果敢来培养我的才能，用庄重来培养我的器量，

用宽容来培养我的气量，用严肃冷峻来培养我的操守。

【原文】

自家有好处，要掩藏几分，这是涵育[1]以养深。

别人不好处，要掩藏几分，这是浑厚[2]以养大。

【注释】

①涵育：涵养化育，指有涵养。②浑厚：质朴淳厚。

【译文】

自己有长处，要谦虚一些，这是用涵养来塑造优秀的品格。

别人有短处，要少计较一些，这是用质朴淳厚来造就宽宏的气量。

【原文】

以虚养心，以德养身；

以仁养天下万物，以道养天下万世。

【译文】

用谦逊培养自己的内心，用德行提高自己的修养；

用仁爱来造福世间所有生灵，用道德来教育后世子孙。

【原文】

涵养冲虚①，便是身世学问；

省除烦恼，何等心性安和！

【注释】

①冲虚：恬淡虚静。

【译文】

培养出恬淡虚静的品格，就是一生的学问；

抛弃无用的烦恼，内心是多么安乐平和！

【原文】

颜子四勿①，要收入来；闲存工夫，制外以养中也。

孟子四端②，要扩充去；格致③工夫，推近以暨④远也。

【注释】

①颜子四勿：非礼勿视，非礼勿听，非礼勿言，非礼勿动。②孟子四端：指的是仁、义、礼、智四种道德观念的萌芽。恻隐之心，仁之端也；羞恶之心，义之端也；辞让之心，礼之端也；是非之心，智之端也。③格致：即格物致知，观察事物的存在、发展的原理，然后将其总结为一般性的规律。④暨（jì）：及，到。

【译文】

颜渊的“四勿”，必须牢记于心；有悠闲地生活的本领，排除外界的干扰来修养自己的品行；

孟子的“四端”，必须拓宽延展；有观察事物然后总结出规律的本领，由已学的知识推导未学的知识。

【原文】

喜怒哀乐而曰未发，是从人心直溯①道心，要他存养②；

未发而曰喜怒哀乐，是从道心指出人心，要他省察③。

【注释】

①溯（sù）：逆着水流的方向走，后引申为追求根源或回想。②存养：存心养性，是儒家的一种修行方法。③省察：反省，审察。

【译文】

有高兴、生气、悲伤、愉快的情感却没表现出来，这是从人的平常心追求道德的高尚之心导致的，令人们存心养性，修养自己的德行；

虽然没有表现出来但已有了高兴、生气、悲伤、愉快的情感，这是从道德的高尚之心显露出人的平常心的缺失，令人们反省、审察自身。

【原文】

存养宜冲粹[①]，近春温；

省察宜谨严，近秋肃。

【注释】

①冲粹：中正存和。

【译文】

存心养性应当中正存和，近于春天的温暖柔和；

反省自身应当慎重严厉，近于秋天的阴冷肃杀。

【原文】

就性情上理会，则曰涵养。

就念虑[①]上提撕[②]，则曰省察。

就气质上销熔[③]，则曰克治[④]。

【注释】

①念虑：想法，心思。②提撕：本意是拉，引申为提醒。③销熔：熔化，消解，指去除浮躁之气。④克治：克制，抵抗。

【译文】

对人的个性的理解，就是涵养。

对自己的心思的提醒，就是反省审察。

对于自己的脾气，去除浮躁，就是克制。

【原文】

一动于欲，欲胜则昏。

一任乎气，气偏则戾[①]。

【注释】

①戾（lì）：乖张，违背。

【译文】

人一旦动了私欲，就会欲望迷乱、头脑不清。

人一旦放任自己的秉性，以致秉性不正，就会乖张、违背情理。

【原文】

人心如谷种，满腔都是生意，物欲锢之而滞矣。然而生意未尝不在也，疏之而已耳。

人心如明镜，全体浑是光明，习染薰[1]之而暗矣。然而明体未尝不存也，拭[2]之而已耳。

【注释】

①薰（xūn）：同“熏”，原指气味沾染到物品上，后引申为接触的人或事物对人的品质和行为产生的影响。②拭：擦。

【译文】

人的内心就像谷物的种子，充满了生机，只是人对物质的追求禁锢了这种生机，并抑制了它的成长。但生机并没有消失，只是变得稀疏了而已。

人的内心像明亮的镜子，充满了光明，只是在潜移默化中受到了不好的影响，使它暗淡了。然而明亮并没有消散，只是缺少擦拭而已。

【原文】

果决人似忙，心中常有余闲；

因循[1]人似闲，心中常有余忙。

【注释】

①因循：迟延，拖拉。

【译文】

果断决然的人看起来很忙，但心中常有空闲；

迟延拖拉的人看起来悠闲，但心中常有牵挂。

【原文】

寡欲故静，有主则虚。

【译文】

欲望少因而内心平静，有主见就能虚心学习。

【原文】

无欲之谓圣，寡欲之谓贤，多欲之谓凡，徇欲之谓狂。

【译文】

没有欲望的是圣人，欲望很少的是贤人，欲念繁多的是凡人，不惜一切放纵欲望的则是放荡不羁的人。

【原文】

人之心胸，多欲则窄，寡欲则宽。

人之心境，多欲则忙，寡欲则闲。

人之心术，多欲则险，寡欲则平。

人之心事，多欲则忧，寡欲则乐。

人之心气，多欲则馁①，寡欲则刚。

【注释】

①馁：丧气，失去了勇气。

【译文】

人的胸怀如果欲望太多就会狭窄，欲望少就会开阔。

人的心境如果欲望太多就会忙碌，欲望少就会闲适。

人的心术如果欲望太多就会险恶，欲望少就会平和。

人的心事如果欲望太多就会忧虑，欲望少就会开心。

人的心术如果欲望太多就会丧气，欲望少就会坚毅。

【原文】

宜静默，宜从容，宜谨严，宜俭约，四者切己①良箴②。

忌多欲，忌妄动，忌坐驰③，忌旁骛④，四者切己大病。

【注释】

①切己：与自己密切相关的。②良箴（zhēn）：有益的劝告、劝诫。③坐驰：身体坐着不动但是心早已跑到外面去了。出自《庄子·人间世》："瞻彼阕

者，虚室生白，吉祥止止。夫且不止，是之谓坐驰。”④旁骛（wù）：在正业以外的追求，指不专心。

【译文】

应该安静少语，从容不慌张，谨慎严肃，勤俭节约，这四条是与自己密切相关的有益的劝告。

尽量避免欲望过多，轻率行动，心神不定，追求不专一，这四条是与自己密切相关的毛病。

【原文】

常操常存，得一恒字诀。

勿忘勿助，得一渐字诀。

【译文】

经常练习经常想着学到的东西，在这个过程中体会持之以恒的妙处。

不要忘记之前学习的东西，不要贪图速成，在这个过程中体会循序渐进的妙处。

【原文】

敬守此心，则心定；

敛抑[①]其气，则气平。

【注释】

①敛抑：收敛和抑制，指调节、调整。

【译文】

慎重地保持着自己的本心，就会内心安定；

注意调节自己的脾气，就会心平气和。

【原文】

人性中不曾缺一物，人性上不可添一物。

【译文】

人的本性中不曾缺少任何东西，人的本性上也不能附加任何东西。

【原文】

君子之心不胜其小，而器量涵盖一世；

小人之心不胜其大，而志意拘守一隅[1]。

【注释】

①隅：角落。

【译文】

品德高尚的人胸怀坦诚，无欲无求，但他的气度宽广、无所不包；

品德低下的人内心贪婪，但他的气量狭小，没有远见。

【原文】

怒是猛虎，欲是深渊。

【译文】

愤怒是凶猛的老虎，欲望是深不见底的深渊。

【原文】

忿如火，不遏[1]则燎原[2]；

欲如水，不遏则滔天[3]。

【注释】

①遏（è）：阻止。②燎（liáo）原：形容火势迅猛。③滔天：形容水势极大，弥漫天际。

【译文】

愤怒就像烈火，不阻止就会燃烧迅猛；

欲望就像流水，不阻止就会弥漫天际。

【原文】

惩[1]忿如摧山，窒[2]欲如填壑[3]。

惩忿如救火，窒欲如防水。

【注释】

①惩：警惕。②窒（zhì）：抑制，阻遏。③壑（hè）：深沟。

【译文】

控制愤怒像摧毁山脉一样意志顽强，抑制欲望像填满深沟一样坚持不懈。

控制愤怒像救火一样迅速，遏制欲望像防止洪水暴发一样警醒。

【原文】

心一松散，万事不可收拾。

心一疏忽，万事不入耳目。

心一执着，万事不得自然。

【译文】

心一旦放松散漫，所有的事都做不好。

心一旦有疏漏的地方，所有的事都不能认真关注。

心一旦过于坚持，乃至强求，所有的事都不能顺其自然地发展。

【原文】

一念疏忽，是错起头；

一念决裂①，是错到底。

【注释】

①决裂：破裂。

【译文】

一念之间的疏忽，是错误的开端；

一念之间的动摇，是将错误一直继续下去。

【原文】

古之学者，在心上做工夫，故发①之容貌，则为盛德②之符③；

今之学者，在容貌上做工夫，故反之于心，则为实德之病。

【注释】

①发：显示。②盛德：指高尚的品德。③符：标志。

【译文】

古代的学者在内心的修养上用功，因而呈现在外貌上，就是品德高尚的标志；

现在的学者在容貌的修饰上用功，因而反映在内心上，就是真正的德行的缺失。

【原文】

只是心不放肆[①]，便无过差；

只是心不怠忽[②]，便无逸志。

【注释】

①放肆（sì）：放纵。②怠忽：怠慢，疏忽。

【译文】

只要内心不放纵，就不会出现差错；

只要内心不怠慢疏忽，就不会有纵欲放荡的志向。

【原文】

处逆境心，须用开拓法；

处顺境心，要用收敛法。

【译文】

身处不顺的境地，需要用开阔豁达的方法对待事物；

身处顺利的境地，需要用谦逊沉稳的方法对待事物。

【原文】

世路风霜，吾人炼心之境也。

世情冷暖，吾人忍性之地也。

世事颠倒，吾人修行之资也。

【译文】

人生之路风霜困苦，是我们磨炼意志心性的环境。

人间之情充满冷酷与温暖，是我们克制性情的地方。

人间之事颠倒黑白、是非不分，是我们修养自己德行的资本。

【原文】

青天白日[①]的节义，自暗室屋漏[②]中培来；

旋乾转坤[③]的经纶，自临深履薄[④]处得力。

【注释】

①青天白日：蓝天白云，原指天气好，后比喻人的品行高尚。②暗室屋漏：指在别人看不到的、很隐蔽的地方。出自《诗经·大雅·抑》：“相在尔室，尚不愧于无漏。”屋漏：古人在屋内的西北角施设小帐，用于安藏神主，不常被人看到。③旋乾转坤：即旋转乾坤，扭转整个世道、局面。④临深履薄：靠近深渊，踩在薄冰上，指处境很危险。

【译文】

高尚清明的气节，是在别人看不到的地方都坚守品行才培养出来的；

扭转整个世道的治国才能，是在靠近深渊、踩在薄冰上时练就的。

【原文】

名誉自屈辱中彰①，德量自隐忍中大。

【注释】

①彰：彰显，显示。

【译文】

名声和荣誉在屈辱中彰显，德行和气量在忍耐中显得可贵。

【原文】

谦退是保身第一法，安详是处事第一法，

涵容是待人第一法，洒脱是养心第一法。

【译文】

谦逊退让是保全自身最重要的方法，从容沉稳是处理事务最重要的方法，

涵养宽容是与人交往最重要的方法，恬静悠闲是修养性情最重要的方法。

【原文】

喜来时，一检点。怒来时，一检点。

怠惰时，一检点。放肆时，一检点。

【译文】

喜不自胜时，应该收敛反省一下。怒火冲天时，应该收敛反省一下。

倦怠懒惰时，应该收敛反省一下。放荡不羁时，应该收敛反省一下。

【原文】

自处超然，处人蔼然①。

无事澄然②，有事斩然③。

得意淡然，失意泰然。

【注释】

①蔼然：和气的样子。②澄然：沉静的样子。③斩然：果决的样子。

【译文】

独处时离尘脱俗，与人相处时和蔼可亲。

没有事时沉静，有事时果断。

得意时淡泊名利，失意时从容自然。

【原文】

静能制动，沉能制浮。宽能制褊①，缓能制急。

【注释】

①褊（biǎn）：气量小。

【译文】

安静可以克服躁动，沉稳可以克服浮躁。心胸宽广可以克服心胸狭窄，做事平缓可以克服冲动。

【原文】

天地间真滋味，惟静者能尝得出。

天地间真机括，惟静者能看得透。

【译文】

天地间万物的真正的滋味，只有内心平静的人才能体味出来。

天地间万物的真正的法则，只有内心平静的人才能看得透彻。

【原文】

有才而性缓，定属大才。

有智而气和，斯为大智。

【译文】

有才华并且性格和缓，定是大的才华；

有学识并且气性平和，这是大的学识。

【原文】

气忌盛，心忌满，才忌露。

【译文】

脾气谨防旺盛，内心谨防自满，才华谨防外露。

【原文】

有作用者，器宇①定是不凡；

有智慧者，才情②决然不露。

【注释】

①器宇：气度，胸襟。②才情：才能。

【译文】

有作为的人，他的气度肯定与众不同；

有智慧的人，他的才华一定不向外显露。

【原文】

意粗性躁，一事无成。

心平气和，千祥骈集①。

【注释】

①骈集：接连不断地聚集。

【译文】

做事马虎性格暴躁的人，什么事都做不成。

内心平静脾气和顺的人，许多好事会接连不断地发生在他身上。

【原文】

世俗烦恼处，要耐得下。

世事纷扰处，要闲得下。
胸怀牵缠处，要割得下。
境地浓艳处，要淡得下。
意气忿怒处，要降得下。

【译文】

在为世俗烦恼的时候，要能忍耐。
在世事纷扰的时候，要能内心安静。
在心里有牵挂的时候，要能割舍。
在面对诱惑的时候，要淡泊名利。
在生气愤怒的时候，要能克制。

【原文】

以和气迎人，则乖沴[①]灭。
以正气接物，则妖氛消。
以浩气临事，则疑畏释[②]。
以静气养身，则梦寐[③]恬。

【注释】

①乖沴（guāi lì）：不和之气，邪气。②释（shì）：消除，消散。③寐（mèi）：睡觉。

【译文】

以和气的态度对待人，心中的不和之气就会消散。
以公正的态度处理事情，不正常的气氛就会消失。
以浩然刚正的态度面对事情，困惑畏惧就会消除。
以平静的态度修养自身，睡觉就会甜美安稳。

【原文】

观操存，在利害时；
观精力，在饥疲时；
观度量，在喜怒时；
观镇定，在震惊时。

【译文】

察看一个人的操守，要在他面临利益得失的时候；

察看一个人的精力，要在他很饥饿、很疲倦的时候；

察看一个人的度量，要在他面临悲伤或欢喜之事的时候；

察看一个人的沉稳，要在他震惊的时候。

【原文】

大事难事看担当，逆境顺境看襟度。

临喜临怒看涵养，群行群止看识见。

【译文】

在严重、困难的事面前能看出一个人的责任，在有利或不利的环境中能看出一个人的胸怀气量。

遇到开心或者生气的事，能看出一个人的涵养，和同辈的人相处时能看出--个人的学问和见识。

【原文】

轻当矫之以重，浮当矫之以实，

褊当矫之以宽，执当矫之以圆，

傲当矫之以谦，肆当矫之以谨，

奢当矫之以俭，忍当矫之以慈，

贪当矫之以廉①，私当矫之以公。

放言当矫之以缄默②，好动当矫之以镇静，

粗率当矫之以细密，躁急当矫之以和缓，

怠惰③当矫之以精勤，刚暴当矫之以温柔，

浅露当矫之以沉潜，溪刻④当矫之以浑厚。

【注释】

①廉：公正清明。②缄默：不出声。③怠惰：懒散不上心。④溪刻：指待人说话过于冷酷、苛求。

【译文】

言行随便应该用沉着稳重矫正，心浮气躁应该用脚踏实地矫正，

心胸狭窄应该用胸怀宽广矫正，固执己见应该用圆融变通矫正，

傲慢自大应该用谦逊虚心矫正，放纵不羁应该用小心谨慎矫正，

奢侈迷乱应该用勤俭节约矫正，忍耐不发应该用宽容之心矫正，

贪婪无度应该用公正清明矫正，自私自利应该用公平正直矫正，

言语过多应该用适当沉默矫正，活泼好动应该用平静安定矫正，

粗心草率应该用仔细认真矫正，做事急躁应该用暂缓行动矫正，

懈怠懒散应该用刻苦勤奋矫正，强硬暴躁应该用温和柔缓矫正，

做人张狂应该用收敛含蓄矫正，待人苛求应该用淳朴厚道矫正。

持躬类

【原文】

聪明睿知，守之以愚。

功被天下，守之以让。

勇力振世，守之以怯。

富有四海，守之以谦。

【译文】

聪明睿智的人，应保持敦厚虚心的态度。

造福天下的人，应保持谦逊恭敬的态度。

武功盖世的人，应保持小心严谨的态度。

富甲全国的人，应保持谦虚平静的态度。

【原文】

不与居积人争富，

不与进取人争贵，

不与矜饰人争名，

不与少年人争英俊，

不与盛气人争是非。

【译文】

不和家财万贯的人攀比财富的多少，

不和热心功名的人争论地位的高低，

不和自吹自擂的人计较名声的大小，

不和年少青春的人比较外貌的美丑，

不和争强好胜的人辩驳事情的对错。

【原文】

富贵，怨之府也。

才能，身之灾也。

声名，谤之媒也。

欢乐，悲之渐[1]也。

【注释】

①渐：开始，开端。

【译文】

钱财地位，常常是怨恨的温床。

才学能力，常常给自身招来灾祸。

声誉名望，常常是遭人诋毁的缘由。

欢欣快乐，常常是悲伤的开端。

【原文】

浓于声色，生虚怯病。

浓于货利，生贪饕[1]病。

浓于功业，生造作病。

浓于名誉，生矫激[2]病。

【注释】

①饕（tāo）：贪婪。②矫激：违背常情。

【译文】

热衷于享乐美色，人就会有体虚怯懦的毛病。

热衷于物欲钱财，人就会有贪婪无度的毛病。

热衷于建功立业，人就会有装腔作势的毛病。

热衷于美名声誉，人就会有违背常情的毛病。

【原文】

想自己身心，到后日置之何处。

顾本来面目，在古时像个甚人。

【译文】

思考自己的品行作为，在后世会被放在什么位置上。

反省自己的言行举止，能与历史上哪一位古人相提并论。

【原文】

莫轻视此身，三才[1]在此六尺[2]。

莫轻视此生，千古在此一日。

【注释】

①三才：天、地、人的合称。②六尺：古人常说六尺之躯，代指人。

【译文】

不要小瞧自己的存在，天、地、人的精髓都存在于这一身。

不要小瞧自己的一生，名垂千古的功勋就在此时成就。

【原文】

醉酒饱肉，浪笑恣谈，却不错过了一日？

妄动胡言，昧理纵欲，讵[1]不作孽[2]了一日？

【注释】

①讵（jù）：岂，难道。②孽（niè）：恶因，恶事。

【译文】

喝醉了酒吃饱了肉，和人享乐阔谈，难道不是浪费了一天？

行为轻率口无遮拦，不讲道理、放纵欲望，难道不是作恶了一天？

【原文】

不让古人，是谓有志；

不让今人，是谓无量。

【译文】

敢于和古人的成就一争高下，叫作志向高远；

对于今人的成就傲慢不屑，叫作气量狭小。

【原文】

一能胜千，君子不可无此小心；

吾何畏彼，丈夫不可无此大志。

【译文】

一人之力能战胜千人，君子不能没有这样难以实现的志向；

我为什么要害怕他，男子汉不能没有这样不难拥有的气概。

【原文】

怪小人之颠倒豪杰，不知惟颠倒方为小人；

惜君子之受世折磨，不知惟折磨乃见君子。

【译文】

人们责备小人陷害才能出众的人，却不知道只有在陷害别人时小人的嘴脸才会显现出来；

人们怜惜品德高尚的人被世事折磨，而不知道只有在被折磨时君子的品性才会显现出来。

【原文】

经一番挫折，长一番识见。

容一番横逆[1]，增一番器度。

省一分经营，多一分道义。

学一分退让，讨一分便宜。

去一分奢侈，少一分罪过。

加一分体贴[2]，知一分物情[3]。

【注释】

①横逆：粗暴无理的行为。②体贴：深入地体会、感知。③物情：事物的规律，人情的道理。

【译文】

经历一番挫折的磨砺，就能增长一些见识。

经过一些粗暴无理的对待，就能增长一些气度。

少一些对于利益的算计，就能多一些道德和正义。

学会一些隐忍宽容，就能多一些对自己有利的处境。

去除一些对于物欲的享受，就能减少一些罪责和过错。

多一些深入的感知，就能多了解一些事物的规律和人情道理。

【原文】

不自重者取辱，不自畏者招祸，

不自满者受益，不自是者博闻。

【译文】

不尊重自己的人会受到别人的侮辱，胆大无畏的人会招致灾祸，

不自大自傲的人会有好的收获，不自以为是的人博学多才。

【原文】

有真才者，必不矜才；
有实学者，必不夸学。

【译文】

有真才能的人，一定不会夸耀自己的才能；
有真学问的人，一定不会夸耀自己的学问。

【原文】

盖世功劳，当不得一个矜字；
弥天罪恶，最难得一个悔字。

【译文】

有巨大非凡的功劳，最不能有的是自夸；
犯下弥天大罪，最难得的是愿意悔过。

【原文】

诿[①]罪掠功，此小人事。
掩罪夸功，此众人事。
让美归功，此君子事。
分怨共过，此盛德事。

【注释】

①诿：推脱。

【译文】

把过错推给别人、争夺功劳，是小人的行径。
掩饰过错、炫耀自己的功劳，是普通人的作为。
把好处和功劳让给别人，是品德高尚之人的行为。
与人分担埋怨、共担过失，是成就德行的举动。

【原文】

毋毁众人之名，以成一己之善；
毋役[①]天下之理，以护一己之过。

【注释】

①役：征引，借用。

【译文】

不要毁了许多人的名誉，来成全自己的好事；

不要征引世间所有的道理，来袒护自己的过错。

【原文】

大著肚皮容物，立定脚跟做人。

【译文】

心胸宽广要能包容百态，不浮不躁踏踏实实做人。

【原文】

实处著脚，稳处下手。

【译文】

在结实的地方落脚，在稳妥的地方着手做事。

【原文】

读书有四个字最要紧，曰阙疑[①]好问；

做人有四个字最要紧，曰务实耐久。

【注释】

①阙疑：对不理解的问题不随便评论。

【译文】

读书最要紧的就是勤学好问，做人最要紧的就是实实在在并持之以恒。

【原文】

事当快意处须转，言到快意时须住。

【译文】

事情在最得意时要防乐极生悲，话说到最忘形时要防言中有失。

【原文】

物忌全胜，事忌全美，人忌全盛。

【译文】

万物要避免到达它的顶峰，做事要避免做得过于完美，人要避免太过得意。

【原文】

尽前行者地步窄，向后看者眼界宽。

【译文】

只顾着向前走的人路会很窄，时常向后回顾一下的人眼界会更宽。

【原文】

留有余不尽之巧，以还造化。留有余不尽之禄，以还朝廷。

留有余不尽之财，以还百姓。留有余不尽之福，以贻子孙。

【译文】

把一些多余的技巧还给大自然；把一些用不完的俸禄还给国家。

把一些用不了的财富还给百姓；拿一些用不尽的福泽造福子孙。

【原文】

四海和平之福，只是随缘；
一生牵惹之劳，总因好事。

【译文】

天下太平这种心愿，只能听从上天安排而不能强求；
一生牵挂惦念的辛苦，总是因为好管闲事不能顺其自然。

【原文】

花繁柳密处拨得开，方见手段；
风狂雨骤时立得定，才是脚跟。

【译文】

身处繁华之地诱惑重重时却能把它们推开，才显出真本领；
身处危险之地困难重重时却不慌乱，才是心智坚定。

【原文】

步步占先者，必有人以挤之；
事事争胜者，必有人以挫之。

【译文】

每次都要抢在人前的人，一定会遭人排挤；

任何事都争夺胜利的人，一定会受人打压。

【原文】

能改过，则天地不怒。

能安分，则鬼神无权[①]。

【注释】

①无权：没有权利，即不能把人怎么样。

【译文】

能够改正自己的过错，那么天地就不会生气。

能够安守自己的本分，那么鬼神也不能把你怎么样。

【原文】

言行拟之古人，则德进。

功名付之天命，则心闲。

报应念及子孙，则事平。

受享虑及疾病，则用俭。

【译文】

说话做事效仿古代的圣贤之人，德行就会提升。

把功名利禄交给上天安排，内心就会悠然闲适。

做事考虑到子孙的福祸，做事就会公正。

享乐时考虑到生病的时候，就会勤俭节约。

【原文】

安莫安于知足，危莫危于多言。

贵莫贵于无求，贱莫贱于多欲。

乐莫乐于好善，苦莫苦于多贪。

长莫长于博谋，短莫短于自恃。

明莫明于体物，暗莫暗于昧几[①]。

【注释】

①昧几：无知愚昧。

【译文】

最大的安逸，就是知足乐和；最大的危险，就是多言致祸。

最为可贵的，就是无欲无求；最为卑贱的，就是贪欲过多。

最大的快乐，就是乐善好施；最大的痛悔，就是贪图钱财。

最大的长处，就是足智多谋；最大的短处，就是自负自矜。

最大的聪明，就是体察天功；最大的昏暗，就是不明征兆。

【原文】

能知足者，天不能贫。

能忍辱者，天不能祸。

能无求者，天不能贱。

能外形骸者，天不能病。

能不贪生者，天不能死。

能随遇而安者，天不能困。

能造就人材者，天不能孤。

能以身任天下后世者，天不能绝。

【译文】

能够知足常乐的人，上天不会让他贫困。

能够忍受屈辱的人，上天不会让他遭受灾祸。

能够淡泊名利的人，上天不会令他地位卑微。

能够放荡不羁的人，上天不会令他生病。

能够不贪生怕死的人，上天不会令他轻易死去。

能够适应环境的人，上天不会让他处境艰难。

能够挖掘培养人才的人，上天不会让他孤苦无依。

能够舍身为后世造福的人，上天不会让他没有后代。

【原文】

天薄我以福，吾厚吾德以迓[①]之。

天劳我以形，吾逸吾心以补之。

天危我以遇，吾享吾道以通之。

天苦我以境，吾乐吾神以畅之。

【注释】

①迓（yà）：迎接。

【译文】

上天使我没有福分，我就提升我的德行来迎接它。

上天使我身体疲惫，我就让我的内心安逸来弥补它。

上天使我遭遇不顺，我就努力地实践我的真理来解决它。

上天使我处境艰难，我就令我的精神喜悦来排解它。

【原文】

吉凶祸福，是天主张。

毁誉予夺，是人主张。

立身行己，是我主张。

【译文】

人生的顺利或坎坷，遭祸或享福，由上天安排。

对于名誉的诋毁、给予或是收回，由别人掌握。

自己的品德修养、行为、志向，由我决定。

【原文】

要得富贵福泽，天主张，由不得我；

要做贤人君子，我主张，由不得天。

【译文】

想得到富贵、福气、恩泽，是上天的安排，由不得我；

想成为品行高尚的人，是我自己的决定，由不得天。

【原文】

富以能施为德，贫以无求为德；

贵以下人①为德，贱以忘势②为德。

【注释】

①下人：降低自己的身份对待别人，即礼贤下士。②忘势：藐视权贵。

【译文】

有钱的人应把乐善好施当作美德，贫穷的人应把无所欲求当作美德；

地位尊贵的人应把礼贤下士当作美德，地位低微的人应把藐视权贵当作美德。

【原文】

护体面，不如重廉耻。

求医药，不如养性情。

立党羽，不如昭信义。

作威福，不如笃至诚。

多言语，不如慎隐微①。

博声名，不如正心术。

恣豪华，不如乐名教。

广田宅，不如教义方②。

【注释】

①隐微：隐蔽的、细小的事情。②义方：古时指做事应该遵守的规矩，后多指家教。

【译文】

维护自己的仪容外貌，不如重廉明、知羞耻。

看医生寻良药以求长寿，不如培养恬淡的性情。

拉帮结派来维护自己的利益，不如显明信用和道义。

作威作福展示自己的权威，不如做人真实诚恳。

花言巧语舌灿莲花，不如谨慎小心，做好每件小事。

努力为自己博取好名声，不如端正自己的心态。

恣意享受，骄奢淫逸，不如从礼教中获得乐趣。

广置田地、豪宅、想留给后代，不如留下良好的家教。

【原文】

行己恭，责躬厚①，接众和，立心正，进道勇，择友以求益，改过以全身。

【注释】

①责躬厚：严格地要求自己。厚，多。

【译文】

自己行为要端正，严于律己，和气待人，坚持公正之心，在寻求真理的道路上不退缩，结交良友来寻求有益之处，改正自己的过失来使自己更完美。

【原文】

敬为千圣授受真源；

慎乃百年提撕紧钥。

【译文】

恭敬是众多圣贤之人传授给人们与人相处的根源；

谨慎是百年历史留给人们的重要提示。

【原文】

度量如海涵春育，应接如流水行云，

操存如青天白日，威仪如丹凤祥麟，

言论如敲金戛[①]石，持身如玉洁冰清，

襟抱如光风霁月，气概如乔[②]岳泰山。

【注释】

①戛：敲打，击打。②乔：高大。

【译文】

胸怀气度应如海纳百川、春天滋养万物，待人接物如流水行云般自然，

节操像青天白日般清明，气势容貌如火红的凤凰、吉祥的麒麟般威严，

言语论断如敲金击石般洪亮，维护自己的身躯如洁白的玉、清澈的冰般纯洁，

胸襟抱负如光风霁月般坦荡明亮，气概如五岳中最尊贵的泰山般巍峨。

【原文】

海阔从[①]鱼跃，天空任鸟飞，非大丈夫不能有此度量！

振衣千仞冈，濯足万里流，非大丈夫不能有此气节！

珠藏泽自媚，玉韫[②]山含晖，非大丈夫不能有此蕴藉！

月到梧桐上，风来杨柳边，非大丈夫不能有此襟怀！

【注释】

①从：任凭。②韫：同“蕴”，包含，含有。

【译文】

大海辽阔任凭鱼儿跳跃，天空宽广任凭鸟儿翱翔，不是大丈夫不会有这样的气度！

在高耸的山冈上整理衣裳、抖落上面的灰尘，在浩瀚的江流里洗去脚上的污浊，不是大丈夫不会有这样的品质！

明珠即使被掩藏起来，它的光泽也依然能显现出妩媚；美玉虽然仍未开采，但高山都沾染了它的光辉，不是大丈夫不会有这样的含而不露的情操！

月升梧桐，风吹杨柳，不是大丈夫不会有如此高雅的情怀！

【原文】

处草野[①]之日，不可将此身看得小；

居廊庙[②]之日，不可将此身看得大。

【注释】

①草野：指民间。②廊庙：朝廷。

【译文】

身处民间的时候，不能轻视自己；

身处朝廷的时候，不能高抬自己。

【原文】

只一个俗念头，错做了一生人；

只一双俗眼睛，错认了一生人。

【译文】

只因一个庸俗的念头，一生做事皆错；

只因一双世俗的眼睛，一生认人皆错。

【原文】

心不妄念，身不妄动，口不妄言，君子所以存诚。

内不欺己，外不欺人，上不欺天，君子所以慎独。

不愧父母，不愧兄弟，不愧妻子，君子所以宜家。

不负天子，不负生民，不负所学，君子所以用世。

【译文】

心里不乱动念头，身体不乱行动，嘴里不乱说话，君子因此保有他的诚信。

心中不欺骗自己，对外不欺骗人，对上不欺骗天，君子因此在独处时仍谨慎行事，品德高尚。

没有对不起父母、兄弟和妻子，君子因此家庭和睦。

没有辜负国家的期望、百姓的托付和自己学到的知识，君子因此对社会负起了他的责任。

【原文】

以性分言，无论父子兄弟，即天地万物，皆一体耳！何物非我？于此信得及，则心体廓然[①]矣。

以外物言，无论功名富贵，即四肢百骸[②]，亦躯壳耳！何物是我？于此信得及，则世味淡然矣。

【注释】

①廓然：形容空灵宁静的样子。②百骸（hái）：泛指全身的骨骼。

【译文】

就人的本性来说，无论是父子还是兄弟，都是天地万物，都是一个整体，什么不是我呢？由此看来，身心就会空灵宁静了。

就人的身外之物来说，无论功业、名誉、财富还是地位，都是四肢骨骼，也是外在皮囊！什么都是我？由此看来，对世俗的追求就会淡然了。

【原文】

有补于天地曰功，有关于世教曰名，有学问曰富，有廉耻曰贵，是谓功名富贵；

无为曰道，无欲曰德，无习于鄙陋曰文，无近于暧昧[①]曰章，是谓道德文章。

【注释】

①暧昧：含糊，不清楚。

【译文】

对于天地有益的称作功，关于世间教化的称作名，有学问的称为富，知羞耻的称为贵，这就是人们说的功名富贵。

顺应自然称作道，没有私欲称为德，没有庸俗浅薄的习惯称为文，没有含糊不清的法则称为章，这就是人们说的道德文章。

【原文】

困辱非忧，取困辱为忧。

荣利非乐，忘荣利为乐。

【译文】

处境艰难、受到侮辱不值得担忧，自寻困苦和屈辱才值得担忧。

功名利禄不值得喜悦，不计功名利禄才值得喜悦。

【原文】

热闹荣华之境，一过辄[1]生凄凉；

清真[2]冷淡之为，历久愈有意味。

【注释】

①辄（zhé）：就。②清真：朴素纯洁。

【译文】

热闹繁华的景象，一旦消失就会立刻生出孤寂悲伤之情；

朴素幽静的交往，越经时光磨砺越觉得回味无穷。

【原文】

心志要苦，意趣要乐，气度要宏，言动要谨。

【译文】

内心要坚韧能经受磨炼，意味和情趣要能使人感到愉快，心胸要宽广，说话做事要谨慎。

【原文】

心术以光明笃实为第一，

容貌以正大老成为第一，

言语以简重真切为第一。

【译文】

用心最看重没有私心、坦诚老实，

相貌最看重正直稳重，

说话最看重简练、真挚、恳切。

【原文】

勿吐无益身心之语，

勿为无益身心之事，

勿近无益身心之人，

勿入无益身心之境，

勿展无益身心之书。

【译文】

不要说对身心没有好处的话，

不要做对身心没有好处的事，

不要接近对身心没有好处的人，

不要走进对身心没有好处的地方，

不要看对身心没有好处的书。

【原文】

此生不学一可惜，

此日闲过二可惜，

此身一败三可惜。

【译文】

今生不学习是第一可惜的事，

今日虚度光阴是第二可惜的事，

自己一事无成是第三可惜的事。

【原文】

君子胸中所常体，不是人情是天理。

君子口中所常道，不是人伦是世教。

君子身中所常行，不是规矩是准绳。

【译文】

君子心中时常领悟的，不是人的情理而是自然的法则。

君子嘴里时常谈论的，不是人伦关系而是社会的教化。

君子经常做的，不是人们应该做到的事情，而是可以当作典范的事情。

【原文】

休诿罪于气化[①]，一切责之人事。

休过望[②]于世间，一切求之我身。

【注释】

①气化：原指阴阳之气化生万物，这里指命数，天意。②过望：过高的要求。

【译文】

不要把罪责推卸给天意，一切都应该责怪自己的作为。

不要对别人有过高的要求，一切都应该靠自己努力。

【原文】

自责之外，无胜人之术；

自强之外，无上人之术。

【译文】

除了自我反省，没有战胜别人的方法；

除了奋发图强，没有超越别人的方法。

【原文】

书有未曾经我读，事无不可对人言。

【译文】

我有还没阅读过的书，但没有不能对别人说起的事。

【原文】

闺门[①]之事可传，而后知君子之家法矣；

近习[②]之人起敬，而后知君子之身法矣。

【注释】

①闺门：指私密之事。②近习：原指君主宠信的人，这里指亲近。

【译文】

家里的私事可以传到外边，因此了解君子的家教严明；

亲近的人都对他更加恭敬，因此了解君子对自己的要求严格。

【原文】

门内罕闻嬉笑怒骂，其家范可知；

座右[1]遍书名论格言，其志趣可想。

【注释】

①座右：座位的右边。

【译文】

屋里很少听到调笑、发怒、咒骂的声音，由此可知这家家教严明；

座位的右边到处都写着名言警句，由此可知主人的志趣高雅。

【原文】

慎言动于妻子仆隶之间，检身心于食息起居之际。

【译文】

对着妻子儿女和仆人，说话举止应该谨慎；在日常饮食起居的时候，要反省自己的言行。

【原文】

语言间尽可积德，妻子间亦是修身。

【译文】

和人交谈的时候也可以积德，与妻子儿女的相处也是修养德行。

【原文】

昼验之妻子，以观其行之笃与否也；

夜考之梦寐，以卜其志之定与否也。

【译文】

白天从妻子儿女的反应来省察自己的行为，看其是否诚信；

夜晚由梦境来考验自己的志气，看其是否坚定。

【原文】

欲理会[①]七尺，先理会方寸[②]；

欲理会六合，先理会一腔[③]。

【注释】

①理会：明白，了解。②方寸：指心。③一腔：指一方之地。

【译文】

想要了解自己，先要了解自己的身心；

要想明了天下的大事，先要明了自己的小事。

【原文】

世人以七尺为性命，君子以性命为七尺。

【译文】

凡人爱惜自己的性命，而君子把世间万物都当作自己的性命来爱护。

【原文】

气象要高旷，不可疏狂。

心思要缜密，不可琐屑。

趣味要冲淡[①]，不可枯寂。

操守要严明，不可激烈。

【注释】

①冲淡：不看重名利，无欲无求。

【译文】

气度应豁达开朗，但不能疏忽狂放。

心中所想应细致，但不能过于琐碎。

情趣应淡泊闲适，但不能枯燥无味。

品德和气节应严肃公正，但不能激奋刚烈。

【原文】

聪明者戒太察，

刚强者戒太暴，

温良者戒无断。

【译文】

聪明的人要留心过于洞察世事，

坚毅勇猛的人要留心过于急躁，

温柔善良的人要留心不能决断。

【原文】

勿施小惠伤大体[1]，毋借公道遂私情。

【注释】

①大体：重要的信义和道理，有关大局的道理。

【译文】

不要因为给予小的恩惠而损害有关大局的道理，更不能假借公正的道义来满足自己的渴求。

【原文】

以情恕人，以理律己。

【译文】

用常情来宽容别人，用义理来约束自己。

【原文】

以恕己之心恕人，则全交[1]，

以责人之心责己，则寡过。

【注释】

①全交：保全情谊。

【译文】

用原谅自己的心态原谅别人，就能保全与别人的情谊，

用责备别人的态度责备自己，就会少犯过错。

【原文】

力有所不能，圣人不以无可奈何者责人；

心有所当尽，圣人不以无可奈何者自诿。

【译文】

当尽力了却没能做到时，圣人不会因无法解决而责怪别人；

当内心尽全力时，圣人不会因无法解决而推卸自己的责任。

【原文】

众恶必察，众好必察，易。

自恶必察，自好必察，难。

【译文】

大家都讨厌的人和事一定要考察一下，考察众人都喜爱的人和事很容易。

自己讨厌的人和事一定要考察一下，考察自己喜爱的人和事很难。

【原文】

见人不是，诸恶之根。

见己不是，万善之门。

【译文】

总是盯着别人的过错，是万恶的本源。

能看到自己的过错，是众多善的起点。

【原文】

不为过三字，昧却多少良心！

没奈何三字，抹却多少体面！

【译文】

“不为过”三个字，多少人为此泯灭了良心！

“没奈何”三个字，多少人为此丧失了风度！

【原文】

品诣①常看胜如我者，则愧耻自增；

享用常看不如我者，则怨尤②自泯。

【注释】

①品诣：人的德行。②怨尤：怨天尤人。

【译文】

常看德行比我好的人，就会自然而然地感到惭愧和耻辱；

常看物质生活比我差的人，想要埋怨世道、责怪别人的情绪就会自然地消失。

【原文】

家坐无聊，亦念食力担夫[①]红尘赤日。

官阶不达，尚有高才秀士[②]白首青衿[③]。

【注释】

①担夫：靠体力劳动谋生的人。②秀士：品德和学识都出众的人。③青衿：原指学子的服装，后来多指读书人，明清时专指秀才。

【译文】

在家里闲坐感到无聊，想想看，还有靠劳力谋生的挑担人在烈日下为生活奔波。

做官烦心官位不高，想想看，还有许多品德学识出众的人头发都白了还只是个秀才。

【原文】

将啼饥者比，则得饱自乐。

将号寒者比，则得暖自乐。

将劳役者比，则优闲自乐。

将疾病者比，则康健自乐。

将祸患者比，则平安自乐。

将死亡者比，则生存自乐。

【译文】

和叫喊着饿的人相比，能吃饱就很快乐了。

和呼喊着冷的人相比，能取暖就很快乐了。

和被奴役劳作的人相比，能自在生活就很快乐了。

和身染疾病的人相比，身体健康就很快乐了。

和遭遇灾难困境的人相比，能平安就很快乐了。

和死去的人相比，能活着就很快乐了。

【原文】

常思终天抱恨[①]，自不得不尽孝心。

常思度日艰难，自不得不节费用。

常思人命脆薄，自不得不惜精神。

常思世态炎凉，自不得不奋志气。

常思法网难漏，自不得不戒非为。

常思身命易倾②，自不得不忍气性③。

【注释】

①抱恨：心中怀有遗憾的事。②倾：倒塌，这里用来形容人的身体和生命的脆弱。③气性：脾气性格。

【译文】

常常思索父母死后自己心中深感遗憾悲痛，自然不能不尽孝心。

常常思索生活的艰辛困难，自然不能不减小日常开销。

常常思索人的脆弱，自然不能不珍惜自己的精力体气。

常常思索人情的亲密和冷淡，就不能不奋发图强。

常常思索作恶者难以逃脱惩罚，就不能不警戒不好的行为。

常常思索生命的转瞬即逝，就不能不忍住自己的脾气性格。

【原文】

以“媚①”字奉亲，以“淡”字交友，

以“苟”字省费，以“拙”字免劳，

以“聋②”字止谤，以“盲③”字远色，

以“吝”字防口，以“病”字医淫，

以“贪”字读书，以“疑”字穷理，

以“刻”字责己，以“迂”字守礼，

以“狠④”字立志，以“傲”字植骨，

以“痴⑤”字救贫，以“空”字解忧，

以“弱”字御侮，以“悔”字改过，

以“懒”字抑奔竞⑥风，以“惰”字屏尘俗事。

【注释】

①媚：迎合，奉承。②聋：耳朵听不见声音，这里指装听不见。③盲：眼睛看不到东西，这里指装看不见。④狠：坚决，坚定。⑤痴：坚持不懈。⑥奔竞：奔走竞争，指追逐名利。

【译文】

用迎合奉承的态度赡养父母，用自然平静的态度结识朋友，

用苛刻的态度来节省花费，用朴实无华的态度来免除劳力，

用装作听不见来制止关于自己的坏话，用装作看不见来远离美色，

用少说话来留心说错话，用修身养性来治疗淫欲，

用贪婪的状态读书，用怀疑的态度研究知识，

用严格的态度来责备自己，用一板一眼的态度来遵守礼仪规范，

用坚决的态度来树立志向，用骄傲的态度建立风骨，

用坚持不懈的态度帮助贫穷的人，用开阔的态度来排解烦恼，

用和缓的态度来对待别人的轻慢，用悔改的态度改正错误，

用不积极的态度追逐名利，用懒惰的态度来隔离世俗之事。

【原文】

对失意人，莫谈得意事；

处得意日，莫忘失意时。

【译文】

对着不如意、不得志的人，不要谈论自己称心、得志的事；

在自己春风得意的日子里，不要忘记自己不如意的时候。

【原文】

贫贱是苦境，能善处者自乐；

富贵是乐境，不善处者更苦。

【译文】

贫贱是苦难的境界，能很好地居于其境者就苦中有乐；富贵是快乐的境地，不能很好地对待富贵的人便会乐极生悲。

【原文】

恩里由来生害，故快意时须早回头；

败后或反成功，故拂心[1]处莫便放手。

【注释】

①拂心：违背心意，即不顺心。

【译文】

恩泽里从来会反生祸害，所以得意的时候应及早回头，急流勇退；

失败后也许会反获成功，所以不顺心时也不要撒手，而应该坚持到底。

【原文】

深沉厚重，是第一等资质。

磊落豪雄，是第二等资质。

聪明才辩，是第三等资质。

【译文】

深刻沉着、忠厚笃信，是第一等的禀赋。

直率开朗、豪迈雄健，是第二等的禀赋。

明智聪慧、能言善辩，是第三等的禀赋。

【原文】

上士①忘名，中士②立名，下士③窃名。

上士闭心，中士闭口，下士闭门。

【注释】

①上士：有德行、有才能的人。②中士：中等人，即一般人。③下士：愚昧的人。

【译文】

有德行、有才能的人不计名利，一般人想要扬名立万，愚昧的人则以不正当的手段获得名声。

对于不合礼仪的事，有德行、有才能的人从来不想，一般人则是闭口不谈，愚昧的人则是关紧大门偷偷地做。

【原文】

好讦①人者身必危，自甘为愚，适②成其保身之智；

好自夸者人多笑，自舞③其智，适见其欺人之愚。

【注释】

①讦（jié）人：揭发或斥责别人的短处。②适：恰好，恰巧。③舞：耍弄，玩弄。

【译文】

喜好揭发或者攻击别人短处的人，一定会身陷危机，自己甘心表现得笨拙，却恰巧成了保全自己的智慧；

喜好自吹自擂的往往遭人取笑，自己耍弄才智，却恰巧展现出他自欺欺人的愚蠢。

【原文】

闲暇出于精勤，恬适出于祇惧①；

无思②出于能虑，大胆出于小心。

【注释】

①祇（zhī）惧：恭敬小心。②思：顾虑。

【译文】

悠闲从容是因为之前的专心用功，安逸淡泊是因为恭敬并且有所畏惧；

没有顾虑是因为善于思考，不怕困难是因为有严谨的安排。

【原文】

平康①之中，有险阻焉。

衽席②之内，有鸩毒③焉。

衣食之间，有祸败焉。

【注释】

①平康：平安，没有危险。②衽（rèn）席：泛指卧席，引申为睡觉的居所。③鸩毒：一种毒药。这里指用毒药杀害。

【译文】

平安之中，可能隐含着危险。

自己在睡觉的地方，可能都会被毒害。

穿衣吃饭这样的琐事，可能招来灾祸，使家族败落。

【原文】

居安虑危，处治思乱。

【译文】

身处安全的地方也要考虑危险的来临，身处太平盛世也要思考动荡不安的日子怎么过。

【原文】

天下之势，以渐而成；
天下之事，以积而固。

【译文】

天下的各种势力都是逐渐形成和壮大的；
天下之事的成功都是经由积累而牢固起来的。

【原文】

祸到休愁，也要会救；
福来休喜，也要会受。

【译文】

灾祸来临时不要担忧，会有方法来补救；
福气来临也不要高兴，只要接受就是了。

【原文】

天欲祸人，先以微福骄之；
天欲福人，先以微祸儆[1]之。

【注释】

①儆（jǐng）：给人警示，使他们不犯错误。

【译文】

天要使人遭受灾祸，首先给他一点好运让他自满；
天要使人享受好运，首先给他一点灾祸让他警惕。

【原文】

傲慢之人骤得通显，天将重刑之也；
疏放[1]之人艰于进取，天将曲赦[2]之也。

【注释】

①疏放：放纵，不受拘束。②曲赦：委曲求全。

【译文】

自高自大的人突然间通达显赫，上天将会重重地惩罚他；
放纵不拘的人在积极进取时会很艰难，上天也不会为难他。

【原文】

小人亦有坦荡荡处，无所忌惮是已。

君子亦有长戚戚处，终身之忧是已。

【译文】

小人也有坦然的时候，因为他没有忌讳和顾虑。

君子亦有忧惧的时候，因为他终其一生都在忧国忧民。

【原文】

水，君子也。其性冲[①]，其质白，其味淡。其为用也，可以浣不洁者而使洁。即沸汤中投以油，亦自分别而不相混，诚哉君子也。

油，小人也。其性滑，其质腻，其味浓。其为用也，可以污洁者而使不洁。倘滚油中投以水，必至激搏而不相容，诚哉小人也。

【注释】

①冲：谦虚，空虚。

【译文】

水就像君子。它性情谦虚，本质清白，味道清淡。它的作用，是可以清洗不干净的东西，让它变得干净，即使在开水中倒入油，二者也会分开而不会混在一起，这就是君子。

油就像小人。它的本质滑腻，味道浓郁。它的作用，是能污染干净的东西，让它变得不干净，如果在滚烫的油中倒入水，二者一定相互排斥，不能融为一体，这就是小人。

【原文】

凡阳必刚，刚必明，明则易知；

凡阴必柔，柔必暗，暗则难测。

【译文】

凡阳性的事物一定有阳刚之气，刚强一定带有明亮，而明亮的东西易于了解；

凡阴性的事物一定有阴柔之气，柔弱一定带有阴暗，而阴暗的东西难以揣测。

【原文】

称人以颜子，无不悦者，忘其贫贱而夭；

指人以盗跖，无不怒者，忘其富贵而寿。

【译文】

把人叫作颜渊，没有人不高兴，因为他的德行高尚，人们却都忽略了他生活困苦、身份卑微并且死得很早；

把人叫作盗跖，没有人不生气，因为他品行有亏，人们却都忽略了他很富有而且寿命很长。

【原文】

事事难上难，举足常虞[①]失坠；

件件想一想，浑身都是过差。

【注释】

①虞（yú）：防备。

【译文】

考虑事情要多设想可能发生的困难，就像抬起脚时要常常防备不小心跌倒；

回想一下做过的每件事，就会发现自己全身都是过错。

【原文】

怒宜实力消融，过要细心检点。

【译文】

生气了应该竭力平缓下来，犯了错要认真地反省检讨。

【原文】

探理宜柔，优柔[①]涵泳[②]，始可以自得；

决欲宜刚，勇猛奋迅[③]，始可以自新。

【注释】

①优柔：悠闲自在的样子。②涵泳：沉浸，引申为深入体会。③奋迅：指精神振奋，行动敏捷。

【译文】

探索事理应当和缓，悠闲自在地慢慢体会，这样才能有收获；

遏制欲望应当坚决，精神振奋，行动敏捷，这样才能塑造新的自我。

【原文】

惩忿窒欲，其象为损，得力在一忍字；

迁善改过，其象为益，得力在一悔字。

【译文】

抑制怒火，遏制欲望，它们对于自身有害，关键在于忍耐；

发扬善行，改正错误，它们对自身有好处，关键在于悔改。

【原文】

富贵如传舍[①]，惟谨慎可得久居；

贫贱如敝衣，惟勤俭可以脱卸。

【注释】

①传舍：古代行人休息的旅店。

【译文】

富有权贵就像住在旅店，只有小心留神才能长久地住下去；

贫穷悲贱就像破旧的衣服，只有勤劳节俭才能脱掉它。

【原文】

俭则约，约则百善俱兴；

侈则肆，肆则百恶俱纵。

【译文】

勤俭会形成约束，有了约束，各种好事都会兴盛起来；

奢侈会导致放肆，一旦放肆，各种坏事都会泛滥开来。

【原文】

奢者富不足，俭者贫有余；

奢者心常贫，俭者心常富。

【译文】

过分享受的人虽富也有供应不上的时候，节俭的人虽穷却有一些积蓄；

过分享受的人内心经常贫穷，节俭的人内心经常富足。

【原文】

贪饕以招辱，不若俭而守廉。

干请[①]以犯义，不若俭而全节。

侵牟[②]以聚怨，不若俭而养心。

放肆以遂欲，不若俭而安性。

【注释】

①干请：请求和托付。②侵牟：侵害和掠夺。

【译文】

因贪婪招来羞辱，不如节俭并且保持清明的品格。

因请求别人而违背道义，不如节俭并且保全自己的气节。

因侵害别人的利益积累了怨恨，不如节俭并且修养心性。

纵容自己来满足私欲，不如节俭并且使性格沉稳。

【原文】

静坐，然后知平日之气浮。

守默，然后知平日之言躁。

省事，然后知平日之心忙。

闭户，然后知平日之交滥。

寡欲，然后知平日之病多。

近情，然后知平日之念刻。

【译文】

安安静静地坐着，之后才知道平日里自己心浮气躁。

独自待着不说话，之后才知道平日里自己说话急躁。

反省做过的事情，之后才知道平日里心有多繁忙。

关闭家门拒绝访客，之后才知道平日交友不加节制。

减少欲望，之后才知道平日里自己的缺点很多。

理解人情，之后才知道平日里自己待人有多苛刻。

【原文】

无病之身，不知其乐也，病生始知无病之乐。

无事之家，不知其福也，事至始知无事之福。

【译文】

没病时不知道这有多快乐，生病了才知道没病时的快乐。

家里平安时没体会到这有多幸福，灾祸来临时才体会到平安的幸福。

【原文】

欲心正炽时，一念著病，兴似寒冰；

利心正炽时，一想到死，味同嚼蜡。

【译文】

追求私欲之心正强烈时，一想到可能生重病，原来的兴致就像寒冷的冰，一下就冷了下来；

追逐利益之心正强烈时，一想到可能会死，原来的趣味就像蜡一样毫无味道。

【原文】

有一乐境界，即有一不乐者相对待；

有一好光景，便有一不好底相乘除。

【译文】

有一个快乐的境况出现，就有一个不快乐的境况相对立；

有一处优美的风景，就有一处不优美的风景相抵消。

【原文】

事不可做尽，言不可道尽，势不可倚尽，福不可享尽。

【译文】

做事情不能做到极致，说话时不能把话都说了，不能完全靠着势力，不能把所有的福气都享受了。

【原文】

不可吃尽，不可穿尽，不可说尽；

又要懂得，又要做得，又要耐得。

【译文】

不能把美味的食物吃光，不能穿遍华美的衣裳，不能把说都说了；

还要明事理，会办事，能忍耐。

【原文】

难消之味休食，难得之物休蓄。

难酬之恩休受，难久之友休交。

难再之时休失，难守之财休积。

难雪之谤休辩，难释之忿休较。

【译文】

很难消化的食物，不要多吃；很难得到的东西，不要藏着。

很难回报的情分，不要接受；很难长久相处的朋友，不要交往。

很难重返的时光，不要失去；很难守护的财富，不要积存。

很难澄清的污蔑，不要辩解；很难消除的愤恨，不要太计较。

【原文】

饭休不嚼便咽，路休不看便走，

话休不想便说，事休不思便做，

衣休不慎便脱，财休不审便取，

气休不忍便动，友休不择便交。

【译文】

吃饭不要不嚼就咽下去，走路不要不看路就走，

话不要不经思考就说出口，事情不要不安排就做，

衣服不能随意脱掉，钱财不要不审视就拿过来，

怒气不要不经忍耐就发作，朋友不要不挑选就结识。

【原文】

为善如负重登山，志虽已确，而力犹恐不及；

为恶如乘骏走坂，鞭虽不加，而足不禁其前。

【译文】

做好事就像背着重物爬山，虽然志向已经明确，但是会担心自己做不到；

干坏事就像骑着好马下山，虽然没有用鞭子抽打马，但是脚会不由自主地向前走。

【原文】

防欲如挽逆水之舟，才歇手，便下流；

为善如缘[1]无枝之树，才住脚，便下坠。

【注释】

①缘：爬。

【译文】

留心自己的欲望就像拉着逆水行驶的船，刚歇歇手，船就被冲走；

做好事就像爬没有枝杈的树，刚停住脚，就往下滑。

【原文】

胆欲大，心欲小，智欲圆，行欲方。

【译文】

胆量要大，心思要细致，智慧要变通，做事要端正。

【原文】

真圣贤，决非迂腐；真豪杰，断不粗疏。

【译文】

真正的品德高尚的人，一定不会拘泥于旧规、不知变通；真正的才智勇力出众的人，也肯定不会粗俗马虎。

【原文】

龙吟虎啸，凤翥鸾翔[1]，大丈夫之气象；

蚕茧蛛丝，蚁封蚓结，儿女子之经营。

【注释】

①凤翥鸾翔：凤凰盘旋飞举。翥（zhù）：本意是将家里养的鸟放飞，后多指鸟的飞行。

【译文】

龙在鸣叫虎在咆哮，凤凰翱翔，这是大丈夫的心胸气度；

蚕的茧、蜘蛛的丝，蚂蚁筑巢、蚯蚓的身体打了结，这是小孩子的生活。

【原文】

格格[①]不吐，刺刺[②]不休，总是一般语病，请以莺歌燕语疗之；

恋恋不舍，忽忽若忘，各有一种情痴，当以鸢飞鱼跃化之。

【注释】

①格格：这里指语塞，说不出话。②刺刺：形容话很多的样子。

【译文】

有话说不出口，或者一张嘴就说个不停，都是语言上有障碍，请用黄莺唱歌、燕子呢喃般美妙的语言来治疗；

心中有牵挂，或者精神恍惚不集中，都是一种对感情的着迷，要以雄鹰翱翔、鱼儿跳跃的豁达心胸来开导。

【原文】

问消息于蓍[①]龟，疑团空结。

祈福祉于奥灶[②]，奢想徒劳。

【注释】

①蓍（shī）龟：蓍草和龟甲，都是古代占卜用的工具。指占卜。②奥灶：奥，屋内的西北角，是古时年长者的居所，也朝着这个方向祭祀神明。灶：灶神，灶神所在的地方。

【译文】

用占卜来预知未来，只会结下更多疑团。

向鬼神祈求美满和好运，这是人们的一厢情愿，不会真的有用。

【原文】

谦，美德也，过谦者怀诈；

默，懿[①]行也，过默者藏奸。

【注释】

①懿（yì）：美好，多指品德美好或者女子的容貌姣好。

【译文】

虚心礼让是美德，但过于虚心礼让的人可能很虚伪、阴险；

不多说话是善举，但什么话都不说的人可能很邪恶、狡猾。

【原文】

直不犯祸，和不害义。

【译文】

做人耿直不会惹上祸端，待人和气不会损害道义。

【原文】

圆融者无诡随[1]之态，
精细者无苛察之心，
方正者无乖拂[2]之失，
沉默者无阴险之术，
诚笃者无椎鲁[3]之累，
光明者无浅露之病，
劲直者无径情[4]之偏，
执持者无拘泥之迹，
敏练者无轻浮之状。

【注释】

①诡随：不分是非黑白轻易附和别人。②乖拂：行为反常，有违情理。③椎鲁：愚笨，不开窍。④径情：随意。

【译文】

性格通达的人没有奸险诡诈的神态，
专心细致的人没有苛刻挑剔的心思，
行为端正的人没有不合情理的过错，
不多说话的人没有阴暗奸险的手段，
诚信忠厚的人没有脑筋愚笨的牵绊，
胸怀坦荡的人没有肤浅外露的缺点，
刚强正直的人没有横冲直撞的任性，
执着坚定的人没有不懂变通的缺陷，
敏捷练达的人没有言行轻浮的表现。

【原文】

才不足则多谋，识不足则多事，威不足则多怒，信不足则多言，勇不足则多劳，明不足则多察，理不足则多辩，情不足则多仪。

【译文】

才能不够的人主意多，学识不够的人事情多，威信不够的人爱生气，信用不够的人能言善辩，

勇气不够的人很辛苦，看人不准的人会多审察，明白事理不多的人爱和人争辩，情分不够的人讲究礼数。

【原文】

私恩煦感，仁之贼[1]也。

直往轻担，义之贼也。

足恭伪态，礼之贼也。

苛察歧疑，智之贼也。

苟约固守，信之贼也。

【注释】

①贼：害，伤害。

【译文】

只把好处分给少数的人，这是对仁的损害。

做事草率、不能承担责任，这是对义的损害。

假装出非常恭敬的姿态，这是对礼的损害。

过分审察、不相信别人，这是对智的损害。

不能遵守约定、保持诚信，这是对信的损害。

【原文】

有杀之为仁，生之不为仁者。

有取之为义，与之为不义者。

有卑之为礼，尊之为非礼者。

有不知为智，知之为不智者。

有违言为信，践言为非信者。

【译文】

有为成全仁而献身的人，也有不为仁而苟活的人。

有收取是为了义的人，也有给予是为了行不义的人。

有地位卑微却遵守礼仪的人，也有地位尊贵却违反礼仪的人。

有不知道自己很聪明的人，也有不知道自己其实不聪明的人。

有虽然违背约定却诚信的人，也有虽然实现诺言却并不诚信的人。

【原文】

愚忠愚孝，实能维天地纲常，惜不遇圣人裁成[①]，未尝入室；

大诈大奸，偏会建世间功业，倘非有英主驾驭，终必跳梁[②]。

【注释】

①裁成：裁剪、成就，即圣人帮助其成才。②跳梁：同“跳踉”，乱蹦乱跳，这里比喻叛乱者气焰嚣张。

【译文】

不辨是非的忠诚和孝顺，确实可以维护世间的人伦常理，可惜没有圣人教育、指导他，因而他还没能找到成为圣贤的门径；

特别阴险奸诈的品质，偏偏能帮助人建立世俗的成就，但如果没有英明君主的控制，最终必会犯上作乱。

【原文】

知其不可为而遂委心任之者，达人智士之见也；

知其不可为而犹竭力图之者，忠臣孝子之心也。

【译文】

知道事情做不成于是听之任之，这是聪明人的方法；

知道事情做不成而竭尽全力的，这是忠臣孝子之心。

【原文】

小人只怕他有才，有才以济之，流害无穷；

君子只怕他无才，无才以行之，虽贤何补！

【译文】

最担心小人有才能，他的才能助长了他的邪恶，做出的事危害更大；

最担心君子没有才能，没有才能却要他做事，虽然德行出众却对处事没有帮助！

摄生类

【原文】

慎风寒，节饮食，是从吾身上却病法；

寡嗜欲，戒烦恼，是从吾心上却病法。

【译文】

留心天气，控制饮食，这是从自己的身体方面驱除疾病的方法；

减少喜好欲望，抛却烦恼，这是从自己的内心方面消除疾病的方法。

【原文】

少思虑以养心气，寡色欲以养肾气，

勿妄动以养骨气，戒嗔怒以养肝气，

薄滋味以养胃气，省言语以养神气，

多读书以养胆气，顺时令以养元气。

【译文】

减少思考顾虑，来调养自己的心气；少贪恋美色，来调养自己的肾脏；

经常运动，来调养自己的体魄；不要生气发怒，来调养自己的肝脏；

饮食清淡，来调养自己的脾胃；不多说话，来调养自己的精神；

多看书，来调养自己的气度；顺应天气变化，来调养自己的元气。

【原文】

忧愁则气结，忿怒则气逆，恐惧则气陷，拘迫①则气郁，急遽②则气耗。

【注释】

①拘迫：束缚，抑制。②急遽（jù）：快速而剧烈。

【译文】

悲伤担忧，会导致心气堵塞；愤恨生气，会导致心气逆行；害怕畏惧，会导致心气低沉；拘束偏执，会导致心气不正；性急气躁，会导致心气亏损。

【原文】

行欲徐而稳，立欲定而恭，

坐欲端而正，声欲低而和。

【译文】

走路应当步伐缓慢并且稳重，站立时应当姿态挺拔并且恭敬，

坐着时应当端庄并且坐姿标准，说话时应当声音低沉并且语气平和。

【原文】

心神欲静，骨力欲动。胸怀欲开，筋骸欲硬。

脊梁欲直，肠胃欲净。舌端欲卷，脚跟欲定。

耳目欲清，精魂欲正。

【译文】

心神应保持平静，身体应经常运动。胸怀应开阔，筋骨应硬朗健康。

脊梁应挺直，饮食应清淡。说话要谨慎，脚跟要站稳。

耳朵、眼睛应清净，品性应公正耿直。

【原文】

多静坐以收心，

寡酒色以清心，

去嗜欲以养心，

玩古训以警心，

悟至理以明心。

【译文】

经常安静地坐着，使内心安定；

少喝酒、少贪恋美色，使内心干净；

戒掉嗜好、过多的欲望，修养内心；
体味古人的告诫，使内心警惕；
领悟高深的道理，使内心光明。

【原文】

宠辱不惊，肝木①自宁。
动静以敬，心火自定。
饮食有节，脾土不泄。
调息②寡言，肺金自全。
恬淡寡欲，肾水自足。

【注释】

①肝木：这是将人的五脏与五行相对应，肝属木。②调息：调整自己的气息。

【译文】

无论得宠还是受辱，都不惊慌，肝脏自然健康。
无论思考还是行动，都保持平静，心中自然安定。
吃饭有节制、有规律，脾胃自然就好，不会腹泻。
调整自己的气息，少说话，肺自然就没有毛病，
淡泊名利、减少欲求，肾中精气自然充足。

【原文】

道生于安静，德生于卑退①，福生于清俭，命生于和畅。

【注释】

①卑退：礼让。

【译文】

道产生于安静之中，德产生于礼让之中，福产生于清廉节俭之中，命产生于平和畅达之中。

【原文】

天地不可一日无和气，人心不可一日无喜神。

【译文】

天地不能一天没有平和的心态，人心不能一天没有欢乐的情绪。

【原文】

拙字可以寡过，
缓字可以免悔，
退字可以远祸，
苟字可以养福，
静字可以益寿。

【译文】

鲁钝能让人少犯错误，
不急躁能让人不后悔，
退让能避免灾祸，
不争能保持幸福，
心静能让人长寿。

【原文】

毋以妄心戕①真心，勿以客气②伤元气。

【注释】

①戕：残害，伤害。②客气：邪气，有害之气。

【译文】

不要用虚妄的心伤害自己的本性，不要用外在的淫邪之气伤害了自己的元气。

【原文】

拂意处要遣①得过，
清苦日要守得过，
非理来要受得过，
忿怒时要耐得过，
嗜欲生要忍得过。

【注释】

①遣：排解。

【译文】

不如意的事要能排解，

生活清贫要能坚持，

受委屈时要能忍受，

生气愤怒时要能抑制，

沉迷欲望时要能节制。

【原文】

言语知节，则愆尤[1]少。

举动知节，则悔吝少。

爱慕知节，则营求少。

欢乐知节，则祸败少。

饮食知节，则疾病少。

【注释】

①愆（qiān）尤：过错。

【译文】

说话有度，过错就会减少。

行为有理，后悔就会减少。

喜爱有节制，就不会强求。

享乐有节制，灾祸就会减少。

饮食有节制，疾病就会减少。

【原文】

人知言语足以彰吾德，而不知慎言语乃所以养吾德；

人知饮食足以益吾身，而不知节饮食乃所以养吾身。

【译文】

人都知道说话能表现自己的德行，却不知小心说话才是培养德性的关键；

人都知道饮食能强身健体，却不知控制饮食才是修养身心的核心。

【原文】

闹时炼心，静时养心，坐时守心，

行时验心，言时省心，动时制心。

【译文】

热闹时修炼心性，安静时修身养性，安坐时收敛心神，行动时检验心智，说话时少用心机，运动时锻炼体魄。

【原文】

荣枯倚伏，寸田[①]自开惠逆[②]，何须历问塞翁？

修短参差，四体自造彭殇[③]，似难专咎司命[④]！

【注释】

①寸田：指心田。②惠逆：顺利与不顺。③彭殇：长寿与短命。彭，彭祖，古代非常著名的长寿之人。殇，年少就不幸夭折。④司命：掌握人的寿命的天神。

【译文】

繁荣枯萎相互倚仗，人的思想和志向决定了命运的顺利或坎坷，何必向所有曾经得意复又失意的人求取经验呢？

人的寿命长短不一，但是人对于身体的锻炼和爱护又能改变寿命，因此似乎不能只责怪掌管寿命的天神啊！

【原文】

节欲以驱二竖[①]，

修身以屈三彭[②]，

安贫以听五鬼[③]，

息机[④]以弭六贼[⑤]。

【注释】

①二竖：出自《左传·成公十年》，原指两个小孩，后代指病魔。②三彭：道教术语，原称“三尸”，传说“彭”为三尸之姓，故又称为“三彭”，它们在人体内作祟，影响人修炼。还被称作“三灵”，因为上尸叫作灵台，住在脑海；中尸叫作灵爽，住在绛宫；下尸叫作灵精，住在腹下。③五鬼：又叫作五瘟使，是古代民间传说中的瘟神，分别是春瘟张元伯、夏瘟刘元达、秋瘟赵公明、冬瘟钟士贵、总管中瘟史文业。每年有些寺庙会祭拜五瘟神，以保佑家畜平安兴旺。④息机：不用心机。⑤六贼：六尘，佛教术语，即色、声、香、味、触、法。《楞严经》上说六尘能通过眼、耳等媒介，劫掠法财，损害善性，因此叫六贼。

【译文】

节制自己的欲念，就能驱除疾病，保持身体健康；
修身养性，就能管理三彭，而不影响人的修炼；
安于清贫，就能驱赶五瘟，保佑家畜平安兴旺；
不工于心计，就能消除六贼对善性和财产的损害。

【原文】

衰后罪孽，都是盛时作的；
老来疾病，都是壮年招的。

【译文】

人的精神体力下降后所遭受的恶果，都是鼎盛之时种下的；
人衰老之后患上的疾病，都是年盛力强时不注意落下的。

【原文】

败德之事非一，而酗酒者德必败；
伤生之事非一，而好色者生必伤。

【译文】

有损德行的行为不止一件，但大量喝酒一定损害德行；
有损寿命的行为不止一件，但贪恋美色一定有损寿命。

【原文】

木有根则荣，根坏则枯。
鱼有水则活，水涸则死。
灯有膏①则明，膏尽则灭。
人有真精，保之则寿，戕之则妖②。

【注释】

①膏：油，这里指灯油。②妖：同“夭”，年少早死。

【译文】

树木有根就会茂盛，根衰亡了树木就会枯萎。
鱼有水就能存活，水干涸了鱼就会死去。
灯有油就能发光，油烧尽了灯就会熄灭。
人有宝贵的精气，爱护它，人就能长寿，损害它，人就会早亡。

敦品类

【原文】

欲做精金美玉的人品，定从烈火中锻来；

思立揭地掀天的事功，须向薄冰上履过。

【译文】

想要拥有如真金美玉般美好的品格，一定要在烈火般的困境中锻炼；

想要做出惊天地、泣鬼神的功业，必须要在如履薄冰般的险境里历练。

【原文】

人以品为重，若有一点卑污之心，便非顶天立地汉子。

品以行为主，若有一件愧怍[1]之事，即非泰山北斗品格。

【注释】

①愧怍：惭愧。

【译文】

做人最看重他的品德，如果有过一点卑劣污秽的想法，就不是顶天立地的男子汉。

行为是品德的关键，如果做过一件令人惭愧的事，就不具备如泰山北斗般坚韧不移的品性。

【原文】

人争求荣乎，就其求之之时，已极人间之辱；

人争恃宠乎，就其恃之之时，已极人间之贱。

【译文】

众人都在追求荣华富贵，然而就在他汲汲于功名利禄时，他已经承受了人间最大的羞辱；

众人都在争夺上位者的宠幸，然而就在他倚仗权贵时，他已经位于人间最卑贱的地位。

【原文】

丈夫之高华，只在于功名气节；

鄙夫之炫耀，但求诸服饰起居。

【译文】

有志之士孜孜以求的是不朽的功绩声誉、高尚的品行节操；

凡夫俗子扬扬得意的却是华服美食这样的俗世生活。

【原文】

阿谀取容，男子耻为妾妇之道；

本真不凿[1]，大人不失赤子之心。

【注释】

①凿：凿开，挖通。

【译文】

巴结奉承上司来获取他的欢心，有气节的人以此等类似卑贱之人的行径为耻辱；

人的本性没有被雕琢修饰，做大事的人依然保持纯洁善良的品格。

【原文】

君子之事上也，必忠以敬，其接下也，必谦以和。

小人之事上也，必谄以媚，其待下也，必傲以忽。

【译文】

君子侍奉官位比自己高的人，一定忠心恭敬；对待官位比自己低的人，一定谦逊温和。

小人侍奉官位比自己高的人，一定巴结奉承；对待官位比自己低的人，一定藐视怠慢。

【原文】

立朝不是好舍人[1]，自居家不是好处士；

平素不是好处士，由小时不是好学生。

【注释】

①舍人：官职的名称。

【译文】

在朝做官时不能当个称职的官员，是因为他做官前就不是个有学识、有能力的人；

平日里不是个有学识、有能力的人，是因为他小时候就不是个好学生。

【原文】

做秀才如处子，要怕人。

既入仕如媳妇，要养人。

归林下如阿婆，要教人。

【译文】

做学问的人要像未出阁的少女，待人小心。

做官后要像嫁了人的媳妇，负责百姓的衣食。

辞官回乡后要像慈祥的老奶奶，和善地教导后代。

【原文】

贫贱时，眼中不著富贵，他日得志必不骄；

富贵时，意中不忘贫贱，一旦退休必不怨。

【译文】

身处贫穷卑微之境时，眼里不看重荣华富贵，有朝一日发达了一定不会自满；

享受荣华富贵时，心中不忘穷困卑微之日，万一解甲归田也一定不会心怀怪怨。

【原文】

贵人之前莫言贱，彼将谓我求其荐；

富人之前莫言贫，彼将谓我求其怜。

【译文】

在地位尊贵的人面前不要谈论自己地位低，不然他会认为你在求他帮你举荐；

在有钱人面前不要谈论自己没有钱，不然他会认为你在博取他的怜悯和同情。

【原文】

小人专望人恩，恩过辄忘；

君子不轻受人恩，受则必报。

【译文】

小人专门期望别人的恩情，但他接受恩情后立马就忘记了；

君子不轻易接受别人的恩情，一旦接受日后一定会设法回报。

【原文】

处众以和，贵有强毅不可夺之力；

持己以正，贵有圆通不可拘之权。

【译文】

与别人相处要态度平和，可贵之处在于坚持自己的原则不动摇；

看待自己要公正不偏袒，可贵之处在于圆融通达不因循守旧。

【原文】

使人有面前之誉，不若使人无背后之毁；

使人有乍[1]处之欢，不若使人无久处之厌。

【注释】

①乍：突然，短暂。

【译文】

与其在人前被人赞许，不如背着自己时没人诋毁；

与其在和人交往时获得短暂的欢愉，不如与人长久相处却不被厌烦。

【原文】

媚若九尾狐，巧如百舌鸟，哀哉羞此七尺之躯！

暴同三足虎，毒比两头蛇，惜乎坏尔方寸之地！

【译文】

像有九条尾巴的狐狸一样应承逢迎，像百舌鸟一样巧舌如簧，这样的人太可悲了，应该为自己感到惭愧！

像有三只脚的老虎一样暴跳如雷，比两个头的蛇还要歹毒，这样的人太可惜了，你的心已坏得无药可救！

【原文】

到处伛偻[①]，笑伊首何仇于天？何亲于地？

终朝筹算，问尔心何轻于命？何重于财？

【注释】

①伛偻：腰背弯着。

【译文】

到处卑躬屈膝、点头哈腰，可笑你的头跟上天有什么仇，又为何跟大地如此亲密？

一天到晚算计来算计去，问问你的心，为什么把自己的生命看得这么轻，把钱财看得这么重？

【原文】

富儿因求宦倾资，污吏以黩[①]货失职。

【注释】

①黩（dú）：轻率或过度地使用。

【译文】

富人之子因为谋求官职而荡尽家财，贪官污吏为了收敛钱物而玩忽职守。

【原文】

亲兄弟析箸[①]，璧合翻作瓜分；

士大夫爱钱，书香化为铜臭。

【注释】

①析箸：把筷子分开，指分家。

【译文】

亲生兄弟要分家，把家产当作瓜一样切分；

士大夫热衷于钱财，书的馨香都化作了铜钱的臭味。

【原文】

士大夫[①]当为子孙造福，不当为子孙求福。

谨家规，崇俭朴，教耕读，积阴德，此造福也。

广田宅，结姻援，争什一[②]，鬻[③]功名，此求福也。

造福者澹而长，求福者浓而短。

【注释】

①士大夫：泛指古时的官员，也指读书人。②什一：原指古代的赋税制度，这里指利益。③鬻（yù）：卖。

【译文】

读书人应为子孙创造福气，而不是谋求好处。

严守家里的规矩，推崇节俭朴素，教导后人如何耕作和治学，累积阴德，这是创造福气。

广置田地宅院，与显贵人家联姻，争名逐利，卖官鬻爵，这就是谋求好处。

创造福气，福气浅淡却长久；谋求好处，好处激增却短暂。

【原文】

士大夫当为此生惜名，不当为此生市名。

敦诗书，尚气节，慎取与，谨威仪，此惜名也。

竞标榜，邀权贵，务矫激，习模棱[①]，此市名也。

惜名者，静而休；市名者，躁而拙。

士大夫当为一家用财，不当为一家伤财。

济宗党[②]，广束脩[③]，救荒歉，助义举，此用财也。

靡苑囿，教歌舞，奢燕会[④]，聚宝玩，此伤财也。

用财者，损而盈；伤财者，满而覆。

【注释】

①模棱：模棱两可，遇事态度模糊不清。②宗党：宗亲乡党，即宗族里的亲人和乡里的朋友。③束脩（xiū）：十条干肉。古人拜访亲友常用作馈赠的礼物，也是拜师时送给老师的礼物。④燕会：宴会。

【译文】

读书人要为这一生珍爱名声，不应为这一生出卖名声。

推崇学诗读书，崇尚道德节操，谨慎地接受和给予财物，注重庄重的仪表，这就是珍爱名声。

争相吹嘘自己，结交权贵，力求高人一等，没有自己的态度立场，这就是出卖名声。

珍爱名声的人，内心平静、与世无争；出卖名声的人，内心急切、手段拙劣。

读书人应为家里合理运用钱财，而不是铺张浪费。

帮助亲人和同乡，聘请各种老师来教育子孙，庄稼颗粒无收或是收成不好时赈济灾民，乐于行善，这些都是合理地运用钱财。

修葺装饰园林，请人来唱歌跳舞，大宴宾客，收敛珍宝古玩，这些都是浪费钱财。

合理运用钱财的人，虽然大量花钱但收获巨大；浪费钱财的人，敛财太多就会因此而灭亡。

【原文】

士大夫当为天下养身，不当为天下惜身。

省嗜欲，减思虑，戒忿怒，节饮食，此养身也。

规利害，避劳怨，营窟宅，守妻子，此惜身也。

养身者，啬①而大；惜身者，膻而细。

【注释】

①啬：吝啬，过分爱护自己的财物。

【译文】

为官之人应为担负天下大任而修养自身，而不是因担负天下大任而爱惜自身。

忽视嗜好私欲，减少思索担忧，戒掉愤恨生气，控制饮食，这是修养自身。

计算利益损失，躲开辛苦抱怨，建造豪宅府邸，维护妻子儿女，这是爱惜自身。

修养自身的人，爱惜自己的品行并且眼界开阔；爱惜自身的人，体态举止美好并且眼光精准。

处事类

【原文】

处难处之事愈宜宽，
处难处之人愈宜厚，
处至急之事愈宜缓，
处至大之事愈宜平，
处疑难之际愈宜无意。

【译文】

对待棘手的事，更需要放宽心态；
对待难缠的人，更需要坦然厚道；
对待紧急的事，更需要从容不迫；
对待特别重要的事，更需要心境平和；
受到质疑责难时，更需要不予理会。

【原文】

无事时，常照管此心，兢兢然若有事；
有事时，却放下此心，坦坦然若无事。
无事如有事提防，才可弭意外之变；
有事如无事镇定，方可消局中之危。

【译文】

没有事情的时候，需要照管这颗心，小心谨慎得好像有事一样；

有了事情的时候，却要放下这颗心，泰然自得好像没事一样。

没有事情能像有事一样提防，才可以平息意想不到的变故；

有了事情能像无事一样镇定，才能消除事件过程中的危机。

【原文】

当平常之日，应小事宜以应大事之心应之。盖天理无小，即目前观之，便有一个邪正，不可忽慢苟简，须审理之邪正以应之方可。

及变故之来，处大事宜以处小事之心处之。盖人事虽大，自天理观之，只有一个是非，不可惊惶失措，但凭理之是非以处之便得。

【译文】

在平安无事的日子里，对待小的事情，应当用对待大事一样慎重的态度去对待。因为从人情来看，天地间的道理不分大小，从眼前来看，都有一个邪恶和正当的界限，不能疏忽怠慢、苟且敷衍，必须辨明道理的邪恶和正当而后对待才行。

等到意外事故发生时，处理大的事情，需要用处理小事一样平静的心去处理。因为从道理来看，人世间的事情虽然很大，但从道理来看，只有一个正确和错误的区别，不能惊恐张皇，失了主意，只要根据道理的正确和错误去处理就行了。

【原文】

缓事宜急干，敏则有功；

急事宜缓办，忙则多错。

【译文】

对舒缓的事情，要急速解决，因为思想敏锐往往容易获得成功；

对急迫的事情，应沉稳处理，因为急躁忙乱常常漏洞百出。

【原文】

不自反者，看不出一身病痛；

不耐烦者，做不成一件事业。

【译文】

不能检查反省自己的人，看不出自身的毛病；

不能耐心忍受麻烦的人，终究一事无成。

【原文】

日日行，不怕千万里；

常常做，不怕千万事。

【译文】

每天都走，不害怕路途遥远；

经常做事，不害怕事情很多。

【原文】

必有容，德乃大；

必有忍，事乃济。

【译文】

必须宽容大度，方可有高尚的品德；

必须有忍耐之心性，事情才能成功。

【原文】

过去事，丢得一节是一节；

现在事，了得一节是一节；

未来事，省得一节是一节。

【译文】

过去的事，忘了一件是一件；

现在的事，做完一件是一件；

未来的事，少想一件是一件。

【原文】

强不知以为知，此乃大愚；

本无事而生事，是谓薄福。

【译文】

不懂装懂，这是最愚蠢之举；

无事而自寻烦恼，这是命中福浅。

【原文】

居处必先精勤，乃能闲暇；

凡事务求停妥，然后逍遥。

【译文】

生活中首先必须勤快，才能有所闲暇；

一切事务都能处理得当，才能逍遥自在。

【原文】

天下最有受用，是一闲字，然闲字要从勤中得来；

天下最讨便宜，是一勤字，然勤字要从闲中做出。

【译文】

天下人最能享受的是个“闲”字，但是闲适要从勤奋中得到；

天下最便宜的是个“勤”字，然而勤奋要从闲暇中做出。

【原文】

自己做事，切须不可迂滞，不可反覆，不可琐碎；

代人做事，极要耐得迂滞，耐得反覆，耐得琐碎。

【译文】

自己做事切不可拖泥带水、反复无常及琐碎；

替别人做事却不能怕麻烦、不能怕反复以及琐碎。

【原文】

谋人事如己事，而后虑之也审；

谋己事如人事，而后见之也明。

【译文】

帮别人做事就像策划自己的事一样，就会考虑周全；

做自己的事就像策划别人的事一样，就能看清真相。

【原文】

无心者公，无我者明。

【译文】

没有偏见就会公正，没有私欲就会坦荡。

【原文】

置其身于是非之外，而后可以折是非之中；

置其身于利害之外，而后可以观利害之变。

【译文】

身处于是非之外，才能评断是非；

身处于利害之外，才能看清利害的变化。

【原文】

任事者，当置身利害之外；

建言者，当设身利害之中。

【译文】

做事的人，应当不看重自己的利益；

提出倡议的人，应当设身处地地为别人的利益着想。

【原文】

无事时，戒一偷字；有事时，戒一乱字。

【译文】

没事时，谨防偷懒；有事时，谨防慌乱。

【原文】

将事而能弭，遇事而能救，既事而能挽，此之谓达权，此之谓才。

未事而知来，始事而要终，定事而知变，此之谓长虑，此之谓识。

【译文】

能防患于未然，遇事弥补不足，力挽狂澜，这叫作随机应变，叫作有才干。

能未卜先知，做事有始有终，已成的事能预知变故，这叫作眼光长远，叫作有见识。

【原文】

提得起，放得下；

算得到，做得完；

看得破，撇得开。

【译文】

做事时能投入，能抽身；

做事时有计划，能完成；

成事后能看破，能割舍。

【原文】

救已败之事者，如驭临崖之马，休轻策一鞭；

图垂成之功者，如挽上滩之舟，莫少停一棹。

【译文】

挽回已经失败的事，就像骑着快到悬崖的马，不要再轻轻地拍上一鞭子；

做马上就要成功的事，就像拉着快上沙滩的船，不能少划一下船桨。

【原文】

以真实肝胆待人，事虽未必成功，日后人必见我之肝胆；

以诈伪心肠处事，人即一时受惑，日后人必见我之心肠。

【译文】

对人真实坦诚，虽然事情不一定能做好，但是时间长了别人一定会看到你的忠实；

对人虚与委蛇，虽然别人一时受到迷惑，但是时间长了别人一定会看到你的虚伪。

【原文】

天下无不可化之人，但恐诚心未至；

天下无不可为之事，只怕立志不坚。

【译文】

没有不能感化的人，只害怕心不诚恳；

没有不能做成的事，只怕意志不坚定。

【原文】

处人不可任己意，要悉人之情；

处事不可任己见，要悉事之理。

【译文】

做人不能放任自己，要体察人情；

做事不能固执己见，要了解事理。

【原文】

见事贵乎理明，处事贵乎心公。

【译文】

看事的可贵在于明白道理，做事的可贵在于正直公平。

【原文】

于天理汲汲者，于人欲必淡。

于私事耽耽者，于公务必疏。

于虚文熠熠者，于本实必薄。

【译文】

忙于追求天理的人，个人欲望必定淡薄。

忙于私事的人，处理公务必然粗心。

追求虚荣的人，内心必定单薄。

【原文】

君子当事，则小人皆为君子。至此不为君子，真小人也。

小人当事，则中人皆为小人。至此不为小人，真君子也。

【译文】

君子掌权，那么小人也都能变为君子。这样还不能成为君子的人，就是真正的小人。

小人弄权，那么普通人也都能变为小人。这样还能不做小人的人，就是真正的君子。

【原文】

居官先厚民风，处事先求大体。

【译文】

做官要先使民风淳朴，处理事情首先要顾全大局。

【原文】

论人当节取其长，曲谅其短；

做事必先审其害，后计其利。

【译文】

评论人物，应该充分肯定他的长处，宽容地谅解他的短处；

办理事务，应该首先弄清它的害处，然后再衡量它的好处。

【原文】

小人处事，于利合者为利，于利背者为害；

君子处事，于义合者为利，于义背者为害。

【译文】

小人办事，处理的原则是私利，合于私利的就看作利，违背私利的就看作害；

君子办事，衡量的标准是道义，合于道义的就看作利，违反道义的就看作害。

【原文】

只人情世故熟了，甚么大事做不到？

只天理人心合了，甚么好事做不成？

只一事不留心，便有一事不得其理；

只一物不留心，便有一物不得其所。

【译文】

只要对人情世故熟悉了，还有什么大事做不到？

只要天理与人心吻合了，还有什么好事办不成？

如果对某件事情不留心，这件事情就得不到应有的料理；

如果对某一物品不留心，这个物品就得不到合理的安排。

【原文】

事到手，且莫急，便要缓缓想；

想得时，切莫缓，便要急急行。

【译文】

对于手中紧急待办的事情，千万不要急躁，而应沉下心，谨慎周密地思考斟酌；

对于已经考虑成熟的问题，千万不要延缓，而应横下心，果决神速地实施解决。

【原文】

事有机缘，不先不后，刚刚凑巧；

命若蹭蹬，走来走去，步步踏空。

【译文】

做事要抓住机遇，准确把握其轻重缓急，这样才能使其尽善尽美；

如果时运不济，抓不住机会，那么每做一件事均不得成功。

接物类

【原文】

事属暧昧，要思回护他，著不得一点攻讦的念头；

人属寒微，要思矜礼[1]他，著不得一毫傲睨[2]的气象。

【注释】

①矜礼：以礼相待，尊重。②傲睨：傲慢斜视。

【译文】

对待别人的私密事，要想着维护他，不该有一点揭发他的想法；

对待贫穷低微的人，要想着礼待他，不该有一丝傲慢的态度。

【原文】

凡一事而关人终身，纵确见实闻，不可著口；

凡一语而伤我长厚，虽闲谈酒谑，慎勿形言。

【译文】

对别人来说意义重大的事，即使是自己真的看见或听见了，也不该张口提；

对有失我品德和身份的话，即使是闲聊或酒后的调侃，也要留神，不能乱说。

【原文】

严著此心以拒外诱，须如一团烈火，遇物即烧；

宽著此心以待同群，须如一片阳春，无人不暖。

【译文】

保持自己的本心，拒绝外物的诱惑，要像一团猛烈的火，遇物就燃烧；

内心宽厚，待人宽容、诚恳，要像一片和煦的春光，温暖所有人。

【原文】

待己当从无过中求有过，非独进德，亦且免患；

待人当于有过中求无过，非但存厚，亦且解怨。

【译文】

严于律己，没有过错也要挑错，这样不仅能提升我的品德，还能免除隐患；

宽以待人，即使有错也应宽容，这样不但能养成淳厚的品格，还能化解仇恨。

【原文】

事后而议人得失，吹毛索垢，不肯丝毫放宽，试思己当其局，未必能效彼万一；

旁观而论人短长，抉隐摘微[1]，不留些须余地，试思己受其毁，未必能安意顺承。

【注释】

①抉隐摘微：故意挑别人的毛病。

【译文】

事后谈论别人做得好不好，吹毛求疵，一点不能宽容，不妨试着想想，如果自己处于那样的境况里，不一定能做到别人的万分之一；

在一旁评论别人的好坏，故意挑别人的毛病，说话不留余地，可以试着想，如果自己受到这样的待遇，可能未必会像他人一样心平气和。

【原文】

遇事只一味镇定从容，虽纷若乱丝，终当就绪；

待人无半毫矫伪欺诈，纵狡如山鬼，亦自献诚。

【译文】

遇事只要镇定从容，就算事情像纠缠的丝一样杂乱，最后也能做好；

对待别人毫不虚伪、奸诈，即使别人像山鬼一样狡猾，最后也会主动向你表达他的诚心。

【原文】

公生明，诚生明，从容生明。

【译文】

做人公正就能内心廉明，待人坦诚就能内心清明，处事从容就能内心洞明。

【原文】

人好刚，我以柔胜之。

人用术，我以诚感之。

人使气，我以理屈之。

【译文】

别人性格刚烈，我用温柔对待他。

别人爱用计谋，我用诚恳感化他。

别人任性骄纵，我用道理说服他。

【原文】

柔能制刚，遇赤子而贲、育失其勇；

讷[1]能屈辩，逢喑者而仪、秦[2]拙于词。

【注释】

①讷：说话迟钝。②仪、秦："仪"指张仪，战国时期秦国的丞相，游说别国附属于秦。"秦"指苏秦，战国时期齐国的丞相，从事抗秦活动。

【译文】

柔弱能战胜刚强，遇到婴儿，孟贲和夏育也会失去他们的勇猛；

说话迟钝的人能让口齿伶俐的人屈服，遇到哑巴，苏秦和张仪都会不知道说什么。

【原文】

困天下之智者，不在智而在愚。

穷天下之辩者，不在辩而在讷。

伏天下之勇者，不在勇而在怯。

【译文】

让聪明的人困窘的，不是聪明的人，而是愚笨的人。

让雄辩家词穷的，不是善辩的人，而是口齿不伶俐的人。

让勇猛的人折服的，不是勇猛的人，而是胆怯的人。

【原文】

以耐事了天下之多事；

以无心息天下之争心。

【译文】

用忍耐来解决世间的麻烦事。

用无欲无求来平息世间的争名逐利。

【原文】

何以息谤？曰无辩。

何以止怨？曰不争。

【译文】

用什么能制止毁谤？不反驳别人的毁谤。

用什么能消除怨恨？不争论谁是谁非。

【原文】

人之谤我也，与其能辩，不如能容；

人之侮我也，与其能防，不如能化。

【译文】

别人说我的坏话，与其和他争辩，不如容忍他；

别人欺负我，与其防备他，不如化解仇怨。

【原文】

是非窝里，人用口，我用耳；

热闹场中，人向前，我落后。

【译文】

在是非多的地方，人家说，我只听；

在热闹的地方，人家往里挤，我躲在后边。

【原文】

观世间极恶事，则一眚①一慝②，尽可优容；

念古来极冤人，则一毁一辱，何须计较！

【注释】

①眚（shěng）：过错。②慝（tè）：原指把心藏起来，形容邪恶、有邪念。

【译文】

看过世间最坏的事，那么自己再看到小错小恶，就都能包容不计较；

想到自古以来蒙受巨大冤屈的人，那么自己再受到一些诋毁或侮辱，就不用计较！

【原文】

彼之理是，我之理非，我让之；

彼之理非，我之理是，我容之。

【译文】

他有理，我没理，要谦让；

他无理，我有理，要宽容。

【原文】

能容小人，是大人；

能培薄德，是厚德。

【译文】

能容忍小人的人，是心胸宽广的人；

能积累小的恩德，这恩德就是厚德。

【原文】

我不识何等为君子，但看每事肯吃亏的便是；

我不识何等为小人，但看每事好便宜的便是。

【译文】

我不知什么人是君子，但是只要每件事都愿意吃亏的人，肯定是君子。

我不知什么人是小人，但是只要每件事都要占便宜的人，肯定是小人。

【原文】

律身惟廉为宜，处世以退为尚。

【译文】

自律最应该品行方正，待人接物则应推崇退让。

【原文】

以仁义存心，以勤俭作家，以忍让接物。

【译文】

心中充满仁义，持家要勤俭，用忍让的态度待人处事。

【原文】

径路窄处，留一步与人行；滋味浓底，减三分让人尝。

任难任之事，要有力而无气；处难处之人，要有知而无言。

【译文】

路窄的地方，要留点地方给别人走；好吃的东西，要省些给别人尝尝。

处理难做的事，要尽力却不抱怨；对待不好相处的人，要心中有数但少说话。

【原文】

穷寇不可追也，遁辞[1]不可攻也，贫民不可威也。

【注释】

①遁辞：理屈词穷或者不愿告知真相时用来搪塞别人的话。

【译文】

穷途末路的人不要追击，闪烁其词的话不要追问，对贫穷的人不能作威作福。

【原文】

祸莫大于不仇人，而有仇人之辞色；

耻莫大于不恩人，而作恩人之状态。

【译文】

最大的祸事是和人没仇，却用仇人般的言语和神态待人；

最大的羞耻是没给人恩惠，却露出一副恩人似的嘴脸。

【原文】

恩怕先益后损，威怕先松后紧。

【译文】

恩德最怕先多后少，威严最怕先松懈后严厉。

【原文】

善用威者不轻怒，善用恩者不妄施。

【译文】

善于施威的人不轻易发怒，善于施恩的人不随意施恩。

【原文】

宽厚者，毋使人有所恃；

精明者，不使人无所容。

【译文】

宽厚的人，不会让别人觉得有所仗恃；

精明的人，不会让别人感到无地自容。

【原文】

事有知其当变，而不得不因者，善救之而已矣；

人有知其当退，而不得不用者，善驭之而已矣。

【译文】

知道事情应该变通，却不得不因循旧法的人，只是善于挽回罢了；

知道某人应该隐退，却不得不用他的人，只是善于驾驭罢了。

【原文】

轻信轻发，听言之大戒也；

愈激愈厉，责善之大戒也。

【译文】

轻易就相信或发脾气，这是听别人讲话时最忌讳的事；

越说越激动、越说越严厉，这是敦促别人向善最忌讳的事。

【原文】

处事须留余地，责善切戒尽言。

【译文】

处理事情，一定要留有余地，敦促别人做好事，一定不要把话说绝。

【原文】

施在我有余之惠，则可以广德；

留在人不尽之情，则可以全交。

【译文】

把多余的恩惠给别人，能增加自己的福德；

记住别人给自己的情谊，能保持友谊。

【原文】

古人爱人之意多，故人易于改过，而视我也常亲，我之教益易行；

今人恶人之意多，故人甘于自弃，而视我也常仇，我之言必不入。

【译文】

古人爱护别人的念头多，因此人们容易改正自己的过错，且把我看作亲人，所以我的教导就更加容易奏效；

今人厌恶别人的念头多，因此人们乐于放纵自己，且把我看作敌人，所以我的教导他们听不进去。

【原文】

喜闻人过，不若喜闻己过；

乐道己善，何如乐道人善！

【译文】

爱听别人的过错，不如爱听自己的过错；

喜欢夸耀自己的好，怎比得上喜欢称赞别人的好！

【原文】

听其言，必观其行，是取人之道；

师其言，不问其行，是取善之方。

【译文】

听他说的话，还要观察他的行为，这是选拔人才的方法；

只学习他好的言论，不论他的行为如何，这是学习别人长处的方法。

【原文】

论人之非，当原其心，不可徒泥其迹；

取人之善，当据其迹，不必深究其心。

【译文】

评论别人的过失，应该思考他的动机，不能拘泥于他的言行；

学习别人的优点，应该效法他的言行，不必深入思考他的动机。

【原文】

小人亦有好处，不可恶其人，并没其是；

君子亦有过差，不可好其人，并饰其非。

【译文】

小人也有优点，不能因为反感其人就忽视他的优点；

君子也有过失或差错，不能因为喜欢其人就掩盖他的缺点。

【原文】

小人固当远，然断不可显为仇敌；

君子固当亲，然亦不可曲为附和。

【译文】

小人确实应该疏远，但绝不能表现为他的敌人；

君子确实应该亲近，但绝不能曲意逢迎。

【原文】

待小人宜宽，防小人宜严。

【译文】

对待小人应当宽厚，提防小人应当严密。

【原文】

闻恶不可遽怒，恐为谗夫泄忿；

闻善不可就亲，恐引奸人进身。

【译文】

听见别人说自己的坏话不能立刻就生气，只怕会被爱说人坏话的人用来泄愤；

听见别人说自己的好话不能立刻就亲近他，只怕将阴险狡诈的人带到自己身边，危害自身。

【原文】

先去私心，而后可以治公事；

先平己见，而后可以听人言。

【译文】

抛弃私欲，然后才能治理国事；

矫正偏见，然后才能听得进别人的劝告。

【原文】

修己以清心为要，涉世以慎言为先。

【译文】

提升自己的品行修养，最重要的是使内心清明无杂念；在社会上做事，最先做的是谨慎说话。

【原文】

恶莫大于纵己之欲，祸莫大于言人之非。

【译文】

没有比放纵自己的欲望更大的恶行，没有比说别人的坏话更大的灾祸。

【原文】

人生惟酒色机关[①]，须百炼此身成铁汉；

世上有是非门户，要三缄其口学金人。

【注释】

①机关：巧妙的计谋、计策。此处指酒色诱惑的考验。

【译文】

人生中有很多欲望的陷阱，要百般磨炼才能成为意志坚定之人；

世间有许多是非之地，要像金人一样说话谨慎。

【原文】

工于论人者，察己常阔疏[①]；

狃[②]于讦直者，发言多弊病。

【注释】

①阔疏：大意疏略。②狃（niǔ）：习以为常。

【译文】

擅长评论别人长短的人，审察自己却大意疏漏；

惯于评判别人隐私的人，他们说的话大多有问题。

【原文】

人情每见一人，始以为可亲，久而厌生，又以为可恶，非明于理而复体之以情，未有不割席[①]者；

人情每处一境，始以为甚乐，久而厌生，又以为甚苦，非平其心而复济之以养，未有不思迁者。

【注释】

①割席：朋友绝交。

【译文】

每当与人交往时，刚开始觉得亲近，时间长了就心生厌恶，除非能明理并且为人着想，不然没有不断交的；

每到新的环境，刚开始觉得很快乐，时间长了就心生厌恶，除非平心静气并且用修养包涵它，不然没有不想离开的。

【原文】

观富贵人，当观其气概，如温厚和平者，则其荣必久，而其后必昌；

观贫贱人，当观其度量，如宽宏坦荡者，则其福必臻[①]，而其家必裕。

【注释】

①臻（zhēn）：到。

【译文】

观察富有显赫之人，应看到他的气度，如果是温和宽厚不闹事的人，那么他的名利定能长久，他的后代定能繁盛；

观察贫困卑微之人，应看他的胸怀，如果是宽宏大量光明磊落的人，那么他的福气定会来到，他的家境定会殷实。

【原文】

宽厚之人，吾师以养量。缜密之人，吾师以炼识。

慈惠之人，吾师以御下。俭约之人，吾师以居家。

明通之人，吾师以生慧。质朴之人，吾师以藏拙。

才智之人，吾师以应变。缄默之人，吾师以存神。

谦恭善下之人，吾师以亲师友。博学强识之人，吾师以广见闻。

【译文】

宽容淳厚的人，我学习他的气度。心思细密的人，我学习他的学识。

和蔼的人，我学习他如何管理下属。勤俭节约的人，我学习他怎样持家。

聪明圆融的人，我学习他的智慧。淳厚朴实的人，我学习他如何隐藏自己的弱点。

有才华能力的人，我学习他如何随机应变。沉默的人，我学习他如何收敛精气。

谦虚、恭敬、礼贤下士的人，我学习他如何与亲人、朋友亲近。学问广博的人，我学习他如何增长见闻。

【原文】

居视其所亲，
富视其所与，
达视其所举，
穷视其所不为，
贫视其所不取。

【译文】

人在家时看他与谁亲近，
人富贵时看他的施与，
人发迹时看他推举什么样的人，
人困顿时看他不做的事，
人贫穷时看他不求取的东西。

【原文】

取人之直，恕其戆[1]。

取人之朴，恕其愚。

取人之介，恕其隘。

取人之敏，恕其疏。

取人之辩，恕其肆。

取人之信，恕其拘。

【注释】

①戆：愚笨而刚直。

【译文】

学习别人的率真，原谅他的愚笨刚直。

学习别人的质朴，原谅他的鲁钝。

学习别人的耿直，原谅他的狭隘。

学习别人的恭敬，原谅他的疏忽。

学习别人的口舌伶俐，原谅他的放纵失礼。

学习别人的守信，原谅他们的紧张。

【原文】

遇刚鲠人，须耐他戾气。

遇骏逸[1]人，须耐他妄气[2]。

遇朴厚人，须耐他滞气[3]。

遇佻达[4]人，须耐他浮气。

【注释】

①骏逸：指才华出众、潇洒不拘的人。②妄气：任性骄纵的态度。③滞气：拘束、迟钝或固执而不知变通的样子。④佻达：轻佻，轻浮。

【译文】

遇到刚正耿直的人，要容忍他的狂躁。

遇到才华出众、潇洒不拘的人，要容忍他的骄纵。

遇到朴实淳厚的人，要容忍他的迟钝固执。

遇到轻佻肤浅的人，要容忍他的虚浮之气。

【原文】

人褊急，我受之以宽宏；

人险仄[1]，我平之以坦荡。

【注释】

①险仄：形容阴险狡诈、心胸狭窄。

【译文】

有人心胸狭窄、脾气急躁，我用宽广的胸怀接纳他；

有人阴险狡诈，我用坦诚的态度对待他。

【原文】

奸人诈而好名，他行事有确似君子处；迂人执而不化，其决裂有甚于小人时。

【译文】

狡诈的人善于欺人，并贪图名声，但他行为处事也确实有像君子的地方；迂腐的人固执，又不知变通，当他品行败坏时，后果比小人还要厉害。

【原文】

持身不可太皎洁，一切污辱垢秽，要茹纳得；

处世不可太分明，一切贤愚好丑，要包容得。

【译文】

维持本身不能太清明洁白，要能接受所有肮脏污秽的事物；

为人处世不能分得太清楚，要能包容所有贤明、愚笨、美丽、丑陋的事物。

【原文】

宇宙之大，何物不有？使择物而取之，安得别立宇宙，置此所舍之物？

人心之广，何人不容？使择人而好之，安有别个人心，复容所恶之人？

【译文】

宇宙这么大，什么东西没有，假如只选有用的东西，怎能有另外一个宇宙来安放自己不要的东西呢?

人心这么大,什么人不能容纳,假如只与喜欢的人亲近,怎能有另外一颗心来容纳自己讨厌的人呢?

【原文】

德盛者,其心和平,见人皆可取,故口中所许可者众;

德薄者,其心刻傲,见人皆可憎,故目中所鄙弃者众。

【译文】

道德高尚的人,性格平和耿直,觉得别人都有长处,因此口中称赞的人很多;

道德低下的人,性格刻薄傲慢,觉得别人都可恶,因此眼里看不起的人很多。

【原文】

律己宜带秋风,处世须带春风。

【译文】

要求自己须像秋风扫落叶一般严厉,与人相处要像春风一般温暖和煦。

【原文】

善处身者,必善处世;不善处世,贼身者也。

善处世者,必严修身;不严修身,媚世者也。

【译文】

自我要求严格的人,一定也善于与人交往;不善于与人交往,会使自身受到损害。

善于与人交往的人,一定严格要求自己;对自己要求不严,就是迎合世俗的小人。

【原文】

爱人而人不爱,敬人而人不敬,君子必自反也;

爱人而人即爱,敬人而人即敬,君子益加谨焉。

【译文】

爱护别人,但别人不爱护自己;敬重别人,但别人不敬重自己；君子就一定自我反省；

爱护他人，而他人也爱护自己；敬重他人，而他人也敬重自己；君子应更加谦逊慎重。

【原文】

人若近贤良，譬如纸一张；以纸包兰麝，因香而得香。

人若近邪友，譬如一枝柳；以柳贯鱼鳖，因臭而得臭。

【译文】

人如果接近贤德之人，就如一张白纸；用白纸包裹芝兰麝香，就会因香而得香。

人假若接触邪恶之友，就像一枝柳条；用柳条贯穿臭鱼腐鳖，就会因臭而得臭。

【原文】

人未已知，不可急求其知；

人未已合，不可急与之合。

【译文】

对于不了解自己的人，不能让他急于了解自己；

对于彼此无交情的人，不能急于和他结为好友。

【原文】

落落者难合，一合便不可离；

欣欣者易亲，乍亲忽然成怨。

【译文】

孤独的人难于和别人相处，但一旦相交，就情谊笃厚，永不分离；

喜乐的人容易和别人相好，但好上三天，就骤然结怨，分道扬镳。

【原文】

能媚我者，必能害我，宜加意防之；

肯规予者，必肯助予，宜倾心听之。

【译文】

向我讨好谄媚的人，一定也能加害于我，应特别留心防范他；

愿意规劝指教我的人，一定也愿意帮助我，应一心一意听从他的批评。

【原文】

出一个大伤元气进士，不如出一个能积阴德平民；

交一个读破万卷邪士，不如交一个不识一字端人。

【译文】

出现一个品行不端的高官，不如出一个积德行善的平民；

与一个饱读诗书的奸邪之人交好，不如结交一位虽不识字但品行端正的人。

【原文】

无事时，埋藏着许多小人；

多事时，识破了许多君子。

【译文】

没有事情的时候，人人都俨然君子模样，小人之心藏而不露；

有了麻烦之事，伪君子便纷纷暴露。

【原文】

一种人难悦亦难事，只是度量褊狭，不失为君子；

一种人易事亦易悦，这是贪污软弱，不免为小人。

【译文】

有一种人难以取悦也难以相处，只是度量狭小，但不失为君子；

另一种人容易共事也好相处，但是既贪婪又软弱，不免为小人。

【原文】

大恶多从柔处伏，慎防绵里之针；

深仇常自爱中来，宜防刀头之蜜。

【译文】

大的罪恶多潜伏于阴柔的地方，所以要谨慎防范像防藏在棉被中的针一样。

深仇大恨常因爱而产生，所以要小心甜蜜背后的利刃。

【原文】

惠我者小恩，携我为善者大恩。

害我者小仇，引我为不善者大仇。

【译文】

施惠予我的是小恩，能提携我从善的是大恩；

害我的是小仇，引诱我做坏事的是大仇。

【原文】

毋受小人私恩，受则恩不可酬；

毋犯士夫公怒，犯则怒不可救。

【译文】

不要接受小人的恩惠，否则将难以回报。

不要读书人的公愤，否则将无以救援。

【原文】

喜时说尽知心，到失欢须防发泄；

恼时说尽伤心，恐再好自觉羞惭。

【译文】

高兴的时候说尽知心话，交情破裂时要防止恶言相向；

生气时说尽伤心话，恐怕和好时会觉得羞愧。

【原文】

盛喜中勿许人物，盛怒中勿答人言。

【译文】

大喜之时不要向别人许诺什么，盛怒中不要与别人说话。

【原文】

顽石之中，良玉隐焉。

寒灰之中，星火寓焉。

【译文】

顽劣的石头有美玉隐藏其中。

寒冷的灰烬中亦有未烬的火星。

【原文】

静坐常思己过，闲谈莫论人非。

【译文】

一个人静坐时，要经常反省自己的过错；和他人聊天时，不要说人闲话。

【原文】

对痴人莫说梦话，防所误也；
见短人莫说矮话，避所忌也。

【译文】

对痴心妄想的人不要说不可能的话，以免误导他；
见到矮小的人不要说不中听的话，以避免忌讳。

【原文】

面谀之词，有识者未必悦心；
背后之议，受憾者常至刻骨。

【译文】

奉承人的话，有见识的人听起来不一定喜悦；
在背后议论别人是非，当事人恨之入骨。

【原文】

攻人之恶毋太严，要思其堪受；
教人以善毋过高，当使其可从。

【译文】

数落别人的过错不能太过分，要想想他的承受能力；
劝人为善也不能要求太高，应当使他尽力而为。

【原文】

互乡童子则进之，开其善也；
阙党童子则抑之，勉其学也。

【译文】

对于缺乏教养的孩子应教他上进，开导他从善；
对教养好的小孩应当抑制他的骄傲之气，以勉励其努力学习。

【原文】

不可无不可，一世之识；

不可有不可，一人之心。

【译文】

总有些事是办不到的，这是世间常理；

没有办不到的事情，这是雄心壮志。

【原文】

事有急之不白者，缓之或自明，毋急躁以速其戾；

人有操之不从者，纵之或自化，毋操切以益其顽。

【译文】

事情有急迫不能明白的，缓一段时间或许自己就会明白，不要急躁以免加速它的毁坏；

人有想操纵他他却不服从的，放任他或许他自己会省悟，不要急于控制他，以免增加他的顽劣。

【原文】

遇矜才者，毋以才相矜，但以愚敌其才，便可压倒；

遇炫奇者，毋以奇相炫，但以常敌其奇，便可破除。

【译文】

遇到自负有才学的人，不要以才华与他相比，只要用愚笨的方法与他的才能抗衡便可以制服他；

遇到爱炫耀自己的人，不要用奇特的东西向他炫耀，只要用平常的东西来与他的新奇对比，便能消除他的炫耀之心。

【原文】

直道事人，虚衷御物。

【译文】

以坦诚直率之心待人，以虚怀无偏见之心驾驭万物。

【原文】

不近人情，举足尽是危机；

不体物情，一生俱成梦境。

【译文】

不合乎人的常情，逆情悖理，必定一抬脚走路就会遇到危险；

不体会客观条件，异想天开，一定会终生虚幻如梦境。

【原文】

己性不可任，当用逆法制之，其道在一“忍”字；

人性不可拂，当用顺法调之，其道在一“恕”字。

【译文】

对自身的性情不可放任，应用逆悖法遏制它，其方法关键在于忍让；

对世人的性情不可违背，应用顺应法调和它，其方法关键在于宽恕。

【原文】

仇莫深于不体人之私，而又苦之；

祸莫大于不讳人之短，而又讦之。

【译文】

不体谅别人的隐私，并且困扰他，往往形成深仇大恨；

不避忌别人的短处，而且攻击他，常常酿成巨灾大祸。

【原文】

辱人以不堪必反辱，伤人以已甚必反伤。

【译文】

羞辱别人，使人到了不能忍受的地步，物极必反，定使自身反受污辱；

伤害他人，到了超过极限的程度，激怒对方，定使自己反遭伤害。

【原文】

处富贵之时，要知贫贱的痛痒；

值少壮之日，须念衰老的辛酸。

入安乐之场，当体患难人景况；

居旁观之地，务悉局内人苦心。

【译文】

处于豪富高贵的时候，应了解贫穷卑贱的生活痛苦；

处于年轻力壮的光景，应想到年老体弱的悲愁辛酸。

出入安乐场所，应当体会人在患难中的景况；

处于一个旁观者的地位，务必体谅当事者的苦衷。

【原文】

临事须替别人思，论人先将自己思。

【译文】

遇到事情时应先替别人着想，议论别人时要先反思自己。

【原文】

欲胜人者先自胜，欲论人者先自论，欲知人者先自知。

【译文】

要战胜别人，先要战胜自己；想议论别人，先要评论自己；想了解别人，先要了解自己。

【原文】

待人三自反，处世两如何。

【译文】

待人须不断反省自己，处世要仔细思量。

【原文】

待富贵人，不难有礼而难有体；

待贫贱人，不难有恩而难有礼。

【译文】

对待富贵的人，做到有礼并不难，难在是否得体；

对待贫贱的人，做到有恩并不难，难在是否有礼。

【原文】

对愁人勿乐，对哭人勿笑，对失意人勿矜。

【译文】

对忧愁的人不要显露快乐，对伤心的人不要展现笑容，对失意的人不要表现矜持。

【原文】

见人背语，勿倾耳窃听。

入人之室，勿侧目旁观。

到人案头，勿信手乱翻。

【译文】

看着有人背着你说话，不要去偷听。

到别人房内，不要东张西望。

在别人书桌前，不要随便乱翻。

【原文】

不蹈无人之室，不入有事之门，不处藏物之所。

【译文】

不进没人的房间，不到有是非的地方，不在贮藏物品的地方停留。

【原文】

俗语近于市，纤语近于娼，诨语近于优。

【译文】

低俗的言语像市场的人所说，挑逗的言语像娼门的人所说，嬉笑的言语像唱戏的人所说。

【原文】

闻君子议论如啜苦茗，森严之后，甘芳溢颊；

闻小人谄笑如嚼糖霜，爽美之后，寒沍凝胸。

【译文】

听君子的议论像喝苦茶，苦涩之后，必觉甘美；

听到小人谄媚的言语像吃糖一样，甘甜过后，便觉寒冷充塞胸中。

【原文】

凡为外所胜者，皆内不足；

凡为邪所夺者，皆正不足。

【译文】

凡以外在美貌取胜的，内心均有不足；

凡被奸邪所占有的，皆无光明正大可言。

【原文】

存乎天者，于我无与也；穷通得丧，吾听之而已；

存乎我者，于人无与也；毁誉是非，吾置之而已。

【译文】

由上天掌握的命运，我无法参与决定；穷困通达或得失，一切顺其自然；

我自己能掌握的事情，他人没法决定；荣辱是非，一切随它而去。

【原文】

小人乐闻君子之过，君子耻闻小人之恶。

【译文】

小人喜欢听到君子的过错，君子则耻于听到小人所做的坏事。

【原文】

慕人善者，勿问其所以善，恐拟议之念生，而效法之念微矣！

济人穷者，勿问其所以穷，恐憎恶之心生，而恻隐之心泯矣！

【译文】

羡慕他人的善行，不要问他何以为善，以免自己产生什么想法，而效法为善的念头消失！

救济贫困，不要问他何以贫困，以免厌恶感产生而同情心泯灭！

【原文】

时穷势蹙之人，当原其初心；

功成名立之士，当观其末路。

【译文】

处于穷困无势地位的人，应当探究他的本心；

功成名就之士，应当观看他的结局。

【原文】

踪多历乱，定有必不得已之私；

言到支离，才是无可奈何之处。

【译文】

经历许多挫折，一定有迫不得已的隐衷；

话未说完而无法说下去，才是无可奈何之处。

【原文】

惠不在大，在乎当厄；

怨不在多，在乎伤心。

【译文】

恩惠不在于大小，而在于受恩者当时是否身处危境；

怨恨不在于多少，而在于这怨恨是否刺痛彼此的内心。

【原文】

毋以小嫌疏至戚，毋以新怨忘旧恩。

【译文】

不要因为小小的过节而疏远亲友，不要因为新近的怨恨而忘记旧时的恩情。

【原文】

两悔无不释之怨，两求无不合之交，两怒无不成之祸。

【译文】

两人都诚心悔过，没有不可消释的怨恨；两人都需要彼此，没有结不成的交情；两人都发怒，没有酿不成的祸患。

【原文】

古之名望相近则相得，今之名望相近则相妒。

【译文】

古时候名望相当的人能融洽相处，现今名望相当的人则相互妒忌。

齐家类

【原文】

勤俭，治家之本。

和顺，齐家之本。

谨慎，保家之本。

诗书，起家之本。

忠孝，传家之本。

【译文】

勤劳节俭，是操持家务的根本；

和睦融洽，是管理家庭的根本；

严谨慎重，是维护家业的根本；

饱读诗书，是振兴家业的根本；

忠孝纲常，是延续家业的根本。

【原文】

天下无不是底父母，世间最难得者兄弟。

【译文】

世上没有做得不对的父母，世间最珍贵的是手足亲情。

【原文】

以父母之心为心，天下无不友之兄弟；

以祖宗之心为心，天下无不和之族人；

以天地之心为心，天下不无爱之民物。

【译文】

用父母的慈爱之心对待兄弟，天下就没有不友爱的兄弟；

用祖先的庇护之心对待同族，天下就没有不和睦的族人；

用天地包容万物的仁爱之心对待别人，天下就没有不喜爱的人和物。

【原文】

人君以天地之心为心，人子以父母之心为心，天下无不一之心矣；

臣工以朝廷之事为事，奴仆以家主之事为事，天下无不一之事矣。

【译文】

君主用天地的仁爱之心对待黎民，百姓用父母般的慈爱之心对待别人，天下就没有不能一致的想法了。

臣子以国家的大事为重，仆人以主人的事务为重，天底下就没有不能一致的事了。

【原文】

孝莫辞劳，转眼便为人父母；

善毋望报，回头但看尔儿孙。

子之孝，不如率妇以为孝，妇能养亲者也，公姑得一孝妇，胜如得一孝子；

妇之孝，不如导孙以为孝，孙能娱亲者也，祖父得一孝孙，又增一辈孝子。

【译文】

孝顺父母不要觉得辛苦，因为很快自己也要为人父母；

做好事不要盼着得到回报，因为回头看到自己的儿孙，你就知道这是为他们积德。

儿子孝顺，不如媳妇也孝顺，因为媳妇能照顾双亲，公婆有一个孝顺的媳妇，胜过有一个孝顺的儿子。

媳妇孝顺，不如教导孙子孝顺，因为孙子能让祖父母开心。祖父母有一个孝顺的孙子，等于又多了一个孝子。

【原文】

父母所欲为者，我继述之；

父母所重念者，我亲厚之。

【译文】

父母想做却没做到的事，我应该继承遗志将它完成；

父母生前深切思念的人，我应该亲近并且优待他们。

【原文】

婚而论财，究也夫妇之道丧；

葬而求福，究也父子之恩绝。

【译文】

结婚如果看重财礼，最终夫妻之间的道义就会消失；

挑选宝地埋葬亲人如果是为了得到庇佑，最终父子间的恩情也会断绝。

【原文】

君子有终身之丧，忌日是也；

君子有百世之养，邱墓是也。

【译文】

君子有终身的悲痛，那就是每年父母的忌日；

君子留给后人以供祭奠的东西，只是坟丘墓碑。

【原文】

兄弟一块肉，妇人是刀锥；

兄弟一釜[①]羹[②]，妇人是盐梅。

【注释】

①釜（fǔ）：一种器物，类似于现代的锅。②羹（gēng）：指五味调和的浓汤。

【译文】

亲兄弟就好比一块骨肉，关系不和才会为妻子所离间；

兄弟是一个锅里的浓汤，关系和睦妻子亦会使之融洽。

【原文】

兄弟和其中自乐，子孙贤此外何求。

【译文】

兄友弟恭，自然开心高兴；只要子孙明理，此外别无所求。

【原文】

心术不可得罪于天地，言行要留好样与儿孙。

【译文】

人的心志不能违背自然的意志，言行举止要给后代子孙做榜样。

【原文】

现在之福，积自祖宗者，不可不惜；

将来之福，贻于子孙者，不可不培；

现在之福如点灯，随点则随竭；

将来之福如添油，愈添则愈明。

【译文】

现在的福，是祖宗积累的，不能不珍惜；

将来的福，是留给子孙的，不能不谋求；

现在享福像点油灯，灯一点，油就会随着减少；

未来的福像给油灯加灯油，越多加油灯就越亮。

【原文】

问祖宗之泽，吾享者是，当念积累之难；

问子孙之福，吾贻者是，要思倾覆之易。

【译文】

问祖宗的福泽在何处？我享受的就是，要想到祖宗积累福泽的艰难；

问子孙的恩德在何处？我将留下的就是，要考虑到家道中落是很容易的。

【原文】

要知前世因，今生受者是，吾谓昨日以前，尔父尔祖，皆前世也。

要知后世果，今生作者是，吾谓今日以后，尔子尔孙，皆后世也。

【译文】

想知道前世的因，这一生所承受的事就是，我说的昨日，就是你的父亲、祖父的前世。

要知道后世的果，这一生我所做的事就是，我说的今后，就是你的儿女、儿孙的后世。

【原文】

祖宗富贵，自诗书中来，子孙享富贵，则弃诗书矣；

祖宗家业，自勤俭中来，子孙享家业，则忘勤俭矣。

【译文】

祖宗的荣华富贵，都是从诗书中得来的，子孙享受了荣华富贵，就不读书了。

祖宗挣下的家业，都是因勤俭而得来的，子孙享受了家业，就忘了勤俭节约了。

【原文】

近处不能感动，未有能及远者；

小处不能调理，未有能治大者；

亲者不能联属[①]，未有能格[②]疏者；

一家生理不能全备，未有能安养百姓者；

一家子弟不率规矩，未有能教诲他人者。

【注释】

①联属：联合在一起。②格：纠正，改正。

【译文】

亲近的人不能被感动，就不能感动疏远的人。

小事不能处理好，就不能治理大事；

亲人不能和睦团结，就不能纠正与疏远之人的关系。

家里的吃穿用度不能照料好，就不能照料好百姓；

家里的子弟不遵守规矩，就不能教导别人。

【原文】

至乐无如读书，至要莫如教子。

【译文】

最大的快乐莫过于读书，最重要的事莫过于教导子女。

【原文】

子弟有才，制其爱，毋弛[1]其诲，故不以骄败；

子弟不肖，严其诲，毋薄其爱，故不以怨离[2]。

【注释】

①弛：免除，消除。②怨离：因为怨恨而离去。

【译文】

子弟有才学，要克制住对他的宠爱，但不要放松对他的教导，所以子弟就不会自满而受挫；

子弟不成才，要严加管教，但不要降低对他的喜爱，所以他们就不会心怀怨恨而疏远父母。

【原文】

雨泽过润，万物之灾也；

恩崇过礼，臣妾之灾也；

情爱过义，子孙之灾也。

【译文】

雨水过于充沛，就是万物的灾难；

恩宠超过了礼制，就是臣妾的灾难；

情爱超过了礼义，就是子孙后代的灾难。

【原文】

安详恭敬，是教小儿第一法；

公正严明，是做家长第一法。

【译文】

做事从容、待人有礼，是教育儿童的第一个要求；

做人公正严明，是做父母的第一个要求。

【原文】

人一心先无主宰，如何整理得一身正当；

人一身先无规矩，如何调剂得一家肃穆。

融得性情上偏私，便是大学问；

消得家庭中嫌隙，便是大经纶[1]。

【注释】

①经纶：整理丝缕编织成绳，后引申为处理国家大事。

【译文】

人心里没有原则，怎么能端正自身的言行；

对言行没有要求，怎么能将全家管理得和睦得体；

能弥补性格上的缺陷，就是大学问，

能化解家庭中的矛盾，就是大事情。

【原文】

遇朋友交游之失，宜剀切[1]，不宜游移[2]；

处家庭骨肉之变，宜委曲，不宜激烈。

【注释】

①剀（kǎi）切：恳切，正中事理。②游移：迟疑不能决断。

【译文】

交友不慎，应该决绝地和他断交，不能犹豫不决；

处理家庭变故，应该温和平缓，不要过于激烈。

【原文】

未有和气萃焉，而家不吉昌者；

未有戾气结焉，而家不衰败者。

【译文】

家中没有聚集和睦之气，是家门不昌盛的原因；

家中没有集结暴戾之气，是家道不衰落的原因。

【原文】

闺门之内不出戏言，则刑于之化[1]行矣；

房帏之中不闻戏笑，则相敬之风著矣。

【注释】

①刑于之化：以礼法对待，后多指夫妇和睦。

【译文】

在房内不说戏弄轻薄的话，那么夫妻就能和睦相处；

在床上听不见嬉笑玩笑的话，那么互相尊重的家风就能形成。

【原文】

人之于嫡室也，宜防其蔽子之过；

人之于继室也，宜防其诬子之过。

【译文】

对于男人的原配妻子，应留心她包庇自己子女的错误；

对于男人的妾室，应留心她诬陷原配子女犯错。

【原文】

仆虽能，不可使与内事①；

妻虽贤，不可使与外事②。

【注释】

①内事：宗庙祭祀的事。②外事：朝廷上的正事。

【译文】

奴仆即使有才干，也不能让他参与宗庙祭祀的大事；

妻子即使再贤惠，也不能让她参与朝廷上的正事。

【原文】

奴仆得罪于我者尚可恕，得罪于人者不可恕；

子孙得罪于人者尚可恕，得罪于天者不可恕。

【译文】

奴仆得罪了我还能够原谅，但如果得罪了别人就不能原谅；

子孙得罪了别人还能够原谅，但如果干了伤天害理的事就不能原谅。

【原文】

奴之不祥，莫大于传主人之谤语；

主之不祥，莫大于行仆婢之谮①言。

【注释】

①谮（zèn）语：毁谤，中伤别人的话。

【译文】

奴仆最能招致灾祸之处，就在于外传别人诋毁主人的话；

主人最能招致灾祸之处，就在于听信仆人中伤别人的话。

【原文】

治家严，家乃和；

居乡恕，乡乃睦。

治家忌宽，而尤忌严；

居家忌奢，而尤忌啬。

【译文】

治家严格，家庭便和睦；

居乡宽恕，则邻里和睦。

治理家政切忌宽恕无度，更应忌太过严格；

料理家务切忌奢侈无度，更应忌太过吝啬。

【原文】

无正经人交接，其人必是奸邪；

无穷亲友往来，其家必然势利。

【译文】

没有正派君子和他结交，此人一定是奸邪之徒；

没有穷贱亲友和他往来，这家人必然是势利小人。

【原文】

日光照天，群物皆作，人灵于物，寐而不觉，是谓天起人不起，必为天神所谴，如君上临朝，臣下高卧失误，不免罚责；

夜漏三更，群物皆息，人灵于物，烟酒沉溺，是谓地眠人不眠，必为地祈[1]所诃[2]，如家主欲睡，仆婢喧闹不休，定遭鞭笞。

【注释】

①地祈：掌管土地社稷的神。

②诃：同“呵”，训斥，责备。

【译文】

太阳升起，天色大亮，万物都开始清醒。人身为万物之灵，却睡着醒不来，这就是所谓的天都起了人还不起，一定会被神灵惩罚，就像君主上朝，臣子却酣睡耽误了国事，不免会被惩罚责难；

夜深时分，万物都开始休息。人身为万物之灵，却沉迷于烟酒享乐，这就是所谓的大地都休息了人还不休息，一定会受到地神的训斥，就像主人要休息，仆人奴婢却不停地吵闹，一定会遭到鞭打。

【原文】

楼下不宜供神，虑楼上之秽亵；

屋后必须开户，防屋前之火灾。

【译文】

在楼下不适合供奉神牌，要考虑到不受楼上污秽的亵渎；

在屋子后面一定要开一扇窗，以提防屋子的前面有火灾。

从政类

【原文】

眼前百姓即儿孙，莫谓百姓可欺，且留下儿孙地步；

堂上一官称父母，漫道一官好做，还尽些父母恩情。

【译文】

为官者要把百姓看成自己的儿孙，不要认为百姓就能任自己欺压，要为百姓留些福泽；

衙门大堂里的官被叫作父母官，不要说这官好做，一定要尽到父母官的恩情。

【原文】

善体黎庶情，此谓民之父母；

广行阴骘事，以能保我子孙。

【译文】

为官者善于体察民情，这就叫作百姓的父母；

为官者暗地多做好事，这样能保佑自己的儿孙。

【原文】

封赠父祖易得也，无使人唾骂父祖难得也；

恩荫子孙易得也，无使我毒害子孙难得也。

【译文】

凭自己的功绩使祖先封官进爵很容易做到，但不让别人唾弃辱骂自己的祖先很难做到；

凭自己的功绩使子孙得到财富权势很容易做到，但不让我伤害自己的子孙很难做到。

【原文】

洁己方能不失己，爱民所重在亲民。

【译文】

自己清明廉洁才能不失本性，爱护百姓关键在于能亲近体察民情。

【原文】

朝廷立法，不可不严；
有司行法，不可不恕。

【译文】

国家制订法规，不能不严格；
官员执行法规，不能不没有仁恕之心。

【原文】

严以驭役而宽以恤民，
极于扬善而勇于去奸，
缓于催科[1]而勤于抚字。

【注释】

①催科：催收租税。租税要按照科条法规来收，因此叫作催科。

【译文】

严格约束官兵，而宽容体恤百姓；
极力彰显善行，而勇于铲除恶行；
温和平缓征税，而勤勉安抚众人。

【原文】

催科不扰，催科中抚字；
刑罚不差，刑罚中教化。

【译文】

催收租税不能扰民，征税时要安抚体恤百姓；
执行刑罚不能有错，行刑时要注重教导百姓。

【原文】

刑罚当宽处即宽，草木皆上天生命；
财用可省时便省，丝毫皆下民脂膏。

【译文】

执行刑罚应该宽大的地方就该宽大，因为即便是一草一木都是上天赋予的生命，不能轻易践踏；

花钱能够节省的时候就要节省，因为即使一丝一毫都是百姓的财物，不能够中饱私囊。

【原文】

居家为妇女们爱怜，朋友必多怒色；

做官为衙门人欢喜，百姓定有怨声。

【译文】

在家里被妻妾怜爱，朋友一定会非常不满；

做官时左右逢源官官相护，百姓一定会有抱怨之声。

【原文】

官不必尊显，期于无负君亲；

道不必博施，要在有裨民物。

禄岂须多，防满则退；

年不待暮，有疾便辞。

天非私富一人，托以众贫者之命；

天非私贵一人，托以众贱者之身。

【译文】

做官不一定要官位显赫，只期望没辜负君王。

恩德不一定要广泛地施与，关键在于有益民生。

所得的俸禄难道一定要丰厚吗？当退则退。

不需要等到年老力衰，生病了就该辞官归故。

上天并非私心让个别的人富有，而是用众多贫困之人来衬托他；

上天并非私心让个别的人有权势，而是用众多卑微之人来衬托他。

【原文】

住世一日，要做一日好人；

为官一日，要行一日好事。

【译文】

活着一天，就要做一天的好人；

做官一天，就要做一天的好事。

【原文】

贫贱人栉风沐雨①，万苦千辛，自家血汗自家消受，天之鉴察犹恕；

富贵人衣税食租，担爵受禄，万民血汗一人消受，天之督责更严。

【注释】

①栉（zhì）风沐雨：风梳头，雨洗发，形容人在外不顾风雨地辛苦奔波。

【译文】

穷困潦倒的人不顾风雨地辛苦奔波，自己的辛苦钱自己用，因此上天看到后会宽容地对待他；

富有显赫的人衣食都是百姓的租税，吃得是朝廷的俸禄，万千百姓的辛苦钱由一个人享用，因此上天对于他们的监督和责罚会更严厉。

【原文】

平日诚以治民，而民信之，则凡有事于民，无不应矣；

平日诚以事天，而天信之，则凡有祷于天，无不应矣。

【译文】

平时真诚地管理百姓，百姓就会信任为官者，那么当有求于民时，就不会没有响应；

平时虔诚地信奉上天，上天就会信任为官者，那么当向上天祈祷时，就不会没有回应。

【原文】

平民肯种德施惠，便是无位底卿相；

士夫徒贪权希宠，竟成有爵底乞儿。

【译文】

普通百姓如果愿意积德布施，就是没有官职的高官；

为官之人如果只贪图权势博取恩宠，就是有官职的乞丐。

【原文】

无功而食，雀鼠是已；

肆害而食，虎狼是已。

【译文】

对于百姓没有功劳却享受着俸禄的官员，是老鼠、麻雀之类的害虫；

肆意残害百姓却享受俸禄的官员，就是老虎、豺狼之类的恶兽。

【原文】

毋矜清而傲浊，毋慎大而忽小，毋勤始而怠终。

【译文】

不要孤芳自赏目中无人，不要只注重大事却忽略小事，做事不要开始积极到最后却消极。

【原文】

勤能补拙，俭以养廉。

【译文】

后天的勤奋可以弥补本性的笨拙，勤劳节俭能够培养廉洁公正的品行。

【原文】

居官廉，人以为百姓受福，予以为锡福于子孙者不浅也，曾见有约己裕民者，后代不昌大耶；

居官浊，人以为百姓受害，予以为贻害于子孙者不浅也，曾见有瘠众肥家者，历世得久长耶？

【译文】

做官清明廉洁，别人都觉得百姓有福，但我认为他为自己的子孙积福不少，你曾经见过自身节俭而厚待百姓的官员，他的后代却不繁荣昌盛的吗?

做官贪污徇私，别人认为是百姓受害，但我认为他留给自己子孙的害处不少，你曾经见过欺压百姓以中饱私囊的官员，他的后代却恩泽绵长的吗?

【原文】

以林皋安乐懒散心做官，未有不荒怠者；

以在家治生营产心做官，未有不贪鄙者。

【译文】

用在林间闲适享乐的心态做官，没有不荒废政事的。

以经营自家产业的心态做官，没有不贪婪鄙陋的。

【原文】

念念用之君民，则为吉士；

念念用之套数，则为俗吏；

念念用之身家，则为贼臣。

【译文】

心系国家和百姓的是能带来恩泽的官员，

处事因循守旧、拘泥古板的是没有才能的官员，

以权谋私、中饱私囊的是窃国窃民的官员。

【原文】

古之从仕者养人，今之从仕者养己。

古之居官也，在下民身上做工夫；今之居官也，在上官眼底做工夫。

【译文】

古代的为官之人谋求百姓安居乐业，现在的为官之人追求以权谋私。

古代的为官之人关注为百姓谋福，现在的为官之人关注谋求上司的恩宠。

【原文】

在家者不知有官，方能守分；

在官者不知有家，方能尽分。

【译文】

在家的人不知道有官，心中坦荡，才能安守自己的本分；

做官的人忘记自己的家，不谋私利，才能进到做官的责任。

【原文】

君子当官任职，不计难易，而志在济人，故动辄成功；

小人苟禄营私，只任便安，而意在利己，故动多败事。

【译文】

君子做官不在乎事情难做或者好做，志在有益于百姓，因此一做事就能成功；

小人贪图利禄、以权谋私，随意做点事就心安了，只在乎谋求私利，因此事做多了就会败露。

【原文】

职业是当然底，每日做他不尽，莫要认作假；

权势是偶然底，有日还他主者，莫要认作真。

【译文】

自己的本分是应尽的，每天做都还做不完，不要把这当作是假的；

权力地位是偶然得来的，有一天还是会失去，不要把它当作是真的。

【原文】

一切人为恶，犹可言也，惟读书人不可为恶，读书人为恶，更无教化之人矣；

一切人犯法，犹可言也，惟做官人不可犯法，做官人犯法，更无禁治之人矣。

【译文】

所有人做坏事，都能谅解，只有读书人不能做恶，如果读书人都作恶，就没有能教化百姓的人了；

所有人违反法律，都能谅解，只有为官者不能违反法律，如果为官者都违反法律，就没有能执行法律的人了。

【原文】

士大夫济人利物，宜居其实，不宜居其名，居其名则德损；

士大夫忧国为民，当有其心，不当有其语，有其语则毁来。

【译文】

士大夫助人利世，应该做实事，而不应在意名声，在意名声就会损害德行；

士大夫忧国忧民，应该牢记于心，而不该夸夸其谈，这样的空谈会遭到诋毁。

【原文】

以处女之自爱者爱身，以严父之教子者教士。

【译文】

像未嫁的女子般爱惜自己的名节，像严厉的父亲教育孩子般教导学生。

【原文】

执法如山，守身如玉，爱民如子，去蠹①如仇。

【注释】

①蠹（dù）：蛀虫，比喻侵害国家财富的人或者事。

【译文】

执法严明像高山般岿然不动，保持自己的名声得像玉般洁白无瑕，爱护百姓像爱护自己的孩子，铲除侵害国家利益的人像对待仇人般狠绝。

【原文】

陷一无辜，与操刀杀人者何别？

释一大憝①，与纵虎伤人者无殊。

【注释】

①憝（duì）：大恶人。

【译文】

陷害一个无辜的人，和拿着刀杀人有什么区别？

释放一个大恶人，和放老虎出来伤人没有两样。

【原文】

针芒刺手，茨棘[1]伤足，举体痛楚，刑惨百倍于此，可以喜怒施之乎？

虎豹在前，坑阱在后，百般呼号，狱犴何异于此，可使无辜坐之乎？

【注释】

①茨棘：茨藜和荆棘，泛指野草。

【译文】

针尖扎手，野草伤脚，全身都感到疼痛，刑罚的惨痛要比这些强百倍，为官者怎么能凭自己的喜怒随意对百姓施刑呢？

眼前有虎豹，身后有陷阱，人们百般呼号求救，大牢里的折磨和这情境有什么区别，为官者怎么能够让无辜的人遭受残酷的折磨呢？

【原文】

官虽至尊，决不可以人之生命，佐己之喜怒；

官虽至卑，决不可以己之名节，佐人之喜怒。

【译文】

虽然位高权重，也绝不能为了满足自己的喜怒而草菅人命；

虽然官职低微，也绝不能为了满足别人的喜怒而牺牲自己的名节。

【原文】

听断之官，成心必不可有；

任事之官，成算必不可无。

【译文】

判断案情的官员，一定不能心有偏见；

处理事务的官员，一定不能不深思熟虑。

【原文】

无关紧要之票，概不标判，则吏胥无权；

不相交涉之人，概不往来，则关防自密。

【译文】

不重要的案件，也不随意判决，那么官吏就不会乱用职权；

没有交情的人，一律都不来往，那么想托关系的人就找不到门路。

【原文】

无辜牵累难堪，非紧要，祇须两造对质，保全多少身家；

疑案转移甚大，无确据，便当末减从宽，休养几人性命。

【译文】

无辜的人受到牵连很难为情，如果不是特别重要的案件，只要双方当堂对峙即可，以多保全几人的性命；

疑难复杂的案件，如果没有确凿的证据，应该从宽处理，这样就能多保全几条人命。

【原文】

呆子之患，深于浪子，以其终无转智；

昏官之害，甚于贪官，以其狼藉及人。

【译文】

愚笨的人带来的祸患，比放纵的人带来的祸患更深，因为他最终也不能变得聪明；

无能的官吏的危害，比贪婪的官员的危害更大，因为他的昏庸无能会牵连别人。

【原文】

官肯着意一分，民受十分之惠；

上能吃苦一点，民沾万点之恩。

【译文】

为官者愿意花一分心思，百姓就能获得十分的好处；

君主能吃一点苦，百姓就能受到万分的恩惠。

【原文】

礼繁则难行，卒成废阁之书；

法繁则易犯，益甚决裂之罪。

【译文】

礼节繁复就会难以施行，最后就会被束之高阁、没有实效；

法规繁复就会容易违犯，这比死刑的危害更大。

【原文】

善启迪人心者，当因其所明而渐通之，毋强开其所闭；

善移易风俗者，当因其所易而渐反之，毋强矫其所难。

【译文】

善于教导百姓的官，应该用渐进的方法因势利导，而不能强迫众人明白；

善于改善风俗的人，应该从容易处渐渐引导，而不能用强制手段去矫正难以改变的风俗。

【原文】

非甚不便于民，且莫妄更；

非大有益于民，切莫轻举。

【译文】

不会给百姓带来极大不便的政策，就不要轻易变更；

不会给百姓带来极大好处的举措，就不要轻易实行。

【原文】

情有可通，旧有者不必过裁抑，免生寡恩之怨；

事在得已，旧无者不必妄增设，免开多事之门。

【译文】

情有可通的，就让其存在，过度抑制原先就已存在的民情，会使百姓产生怨恨；

事有不得已，不能做前所未有之事，否则只会增加百姓的麻烦。

【原文】

为前人者，无干誉矫情，立一切不可常之法，以难后人；

为后人者，无矜能露迹，为一朝即改革之政，以苦前人。

【译文】

先人不要为了名声造作，而立不能执行的法律，使后人难以执行；

而后人不要为显露才能，而施行短时间即须改革的政令，使前人感到苛苦。

【原文】

事在当因，不为后人开无故之端；

事在当革，无使后人长不救之祸。

【译文】

应当沿袭的旧法，不要改革，以免为后人开启无故的事端；

应当改革的陋规，不要沿袭，以免给后人徒增难以弥补的祸害。

【原文】

利在一身勿谋也，利在天下者谋之；

利在一时勿谋也，利在万世者谋之。

【译文】

如果利益只在身边的人，则不必谋取；如果为天下公利，则当尽心策划。

利益只是眼前的，则不必费心；反之，是万世的利益，当尽心策划。

【原文】

莫为婴儿之态，而有大人之器。

莫为一身之谋，而有天下之志。

莫为终身之计，而有后世之虑。

【译文】

不要像小孩一样，要有宏大的气度。

不谋求自己的利益，要有替天下谋福的志气。

不是为自己一生，而是考虑到后代子孙的利益。

【原文】

用三代①以前见识，而不失之迂；

就三代以后家数，而不邻于俗。

【注释】

①三代：有三种解释，一指夏、商、周三代；二指祖、父、子三代；三指曾祖、祖父、父三代。

【译文】

继承先辈们的远见卓识，却不要因循守旧；

沿用先祖们以后的经验，就会不落窠臼。

【原文】

大智兴邦，不过集众思；

大愚误国，只为好自用。

【译文】

用智慧振兴国家，乃是凝结了多数人的智慧；

愚蠢而使国家遭受祸害，只因为刚愎自用。

【原文】

吾爵益高，吾志益下。吾官益大，吾心益小。吾禄益厚，吾施益博。

【译文】

官位愈高态度愈卑。官位愈大思虑愈慎。俸禄愈多施舍愈广。

【原文】

安民者何？无求于民，则民安矣。

察吏者何？无求于吏，则吏察矣。

【译文】

怎样使百姓安乐？不向百姓索求财物，百姓就会安乐了。

怎样监督官吏？不向官吏索取什么，他们就可以清明了。

【原文】

不可假公法以报私仇，不可假公法以报私德。

天德只是个无我，王道只是个爱人。

【译文】

不能借国家的法律来报私人仇怨和个人恩惠。

公德在于无私，王道在于爱民。

【原文】

惟有主，则天地万物自我而立；

必无私，斯上下四旁咸得其平。

【译文】

只要有主见，则对待一切事物都有自己的准则；

一定要摒弃私心，这样才能公正平和地对待一切。

【原文】

治道之要，在知人。

君德之要，在体仁。

御臣之要，在推诚。

用人之要，在择言。

理财之要，在经制。

足用之要，在薄敛。

除寇之要，在安民。

【译文】

治国之道的关键在于了解人情。

君王的德行关键在于体恤和仁爱。

统御臣下的关键在于以诚相待。

用人的关键在于善于纳言。

理财的关键在于经济制度。

丰衣足食的关键在于轻征薄赋。

消除盗匪的关键在于使人民安乐。

【原文】

未用兵时，全要虚心用人；

既用兵时，全要实心活人。

【译文】

和平时期，为政者要虚怀若谷，一心延纳贤才；

战争时期，为政者应爱惜生灵，切忌穷兵黩武。

【原文】

天下不可一日无君，故夷齐非汤武，明臣道也。

不然，则乱臣接踵[1]而难为君。

天下不可一日无民，故孔孟是汤武，明君道也。

不然，则暴君接踵而难为民。

【注释】

①接踵（zhǒng）：原意是脚尖挨着脚跟，形容人多，这里指接连不断。

【译文】

天下不能一天没有国君，所以伯夷、叔齐指责商汤、周武王，这是申明为臣的道理啊！

不然，作乱的臣子接踵而来，谋权篡位，岂不是使国君寝食不安吗？

天下不能一天没有人民，所以孔子、孟子肯定商汤、周武王，这是申明为君的道理啊！

不然，暴虐的昏君接连继位，害民祸国，岂不是使百姓倒悬水火吗？

【原文】

庙堂之上，以养正气为先；

海宇之内，以养元气为本。

【译文】

朝廷上，要保持帝王凛然的刚正之气；

四海内，须养护万民生命的本源。

【原文】

人身之所重者元气，国家之所重者人才。

【译文】

人们看重的是保持元气，国家重视的是培养人才。

惠言类

【原文】

圣人敛福，君子考①祥；

作德日休，为善最乐。

【注释】

①考：长寿。

【译文】

圣人不为自己聚集福德，君子常常长寿安康。

积德的人每天安然坦荡，做好事的人最快乐。

【原文】

开卷有益，作善降祥。

【译文】

读书就会有所收获，做好事就会有福降临。

【原文】

崇德效山，藏器①学海。

群居守口，独坐防心。

【注释】

①藏器：隐藏自己的才华。

【译文】

效仿群山，培养自己崇高的德行，学习大海，韬光养晦，静待时机。

与众人相处要管好自己的嘴，一人静坐时要谨防胡乱猜想。

【原文】

知足常乐，能忍自安。

穷达有命，吉凶由人。

【译文】

知道满足的人常常感到快乐，能够忍耐的人生活平静安宁。

困顿与显达都由上天安排，吉祥凶险都由人自己决定。

【原文】

以镜自照见形容，以心自照见吉凶。

【译文】

用镜子照能看到自己的身形容貌，用心审视自我能显示未来的吉凶福祸。

【原文】

善为至宝，一生用之不尽；

心作良田，百世耕之有余。

世事让三分，天空地阔；

心田培一点，子种孙收。

【译文】

善良是最宝贵的，一生因其得到的福泽都用不完；

把心当作良田用心浇灌，子孙后代也能受益。

凡事退让三分，就会心胸开阔；

心中有善念愿做好事，儿子耕种，孙子就能收获。

【原文】

要好儿孙，须方寸中放宽一步。

欲成家业，宜凡事上吃亏三分。

【译文】

想要给儿孙积德，必须心胸宽阔一点。

想要家业繁盛，应该事事礼让三分。

【原文】

留福与儿孙，岂必尽黄金白镪①；

积德为产业，由来皆美宅良田。

【注释】

①镪（qiǎng）：一串钱。

【译文】

遗留给儿孙的好处，难道一定都是黄金白银吗？

像积累功业一样积累恩德，得到的都是美宅良田。

【原文】

存一点天理心，不必责效于后，子孙赖之；

说几句阴骘[①]语，纵未尽施于人，鬼神鉴之。

【注释】

①阴骘（zhì）：阴德，默默地做好事。

【译文】

心里存有一点天理，不必苛责后人效仿，子孙自会有所依赖。

说几句积阴德的话，纵然没能施恩于他人，鬼神也都会知道。

【原文】

非读书，不能入圣贤之域；

非积德，不能生聪慧之儿。

【译文】

不读书，就不能领略圣贤的境界；

不行善积德，就不能有聪慧的儿女。

【原文】

多积阴德，诸福自至，是取决于天；

尽力农事，加倍收成，是取决于地；

善教子孙，后嗣昌大，是取决于人。

【译文】

多积累阴德，各种福泽就会纷至沓来，这由上天决定；

努力耕作，收成就会加倍，这由土地决定；

好好教育子孙，子孙一定昌盛，这由人自己决定。

【原文】

事事培元气，其人必寿；

念念存本心，其后必昌。

【译文】

所做的每件事情都巩固自己的元气，此人必定长寿；

所想的每件事情都存善念，此人的后代必定昌盛。

【原文】

勿谓一念可欺也，须知有天地鬼神之鉴察。

勿谓一言可轻也，须知有前后左右之窃听。

勿谓一事可忽也，须知有身家性命之关系。

勿谓一时可逞也，须知有子孙祸福之报应。

【译文】

不要认为自己的想法能欺骗别人，要知道天地鬼神能够看到一切。

不要认为话能够随便说，要知道前后左右四周的人都可能在偷听。

不要认为小事可以疏忽，要知道这可能关系着全家的性命。

不要认为一时能逞强，要知道子孙后代会遭受报应。

【原文】

人心一念之邪，而鬼在其中焉，因而欺侮之、播弄之，昼见于形象，夜见于梦魂，必酿其祸而后已，故邪心即是鬼，鬼与鬼相应，又何怪乎？

人心一念之正，而神在其中焉，因而鉴察之、呵护之，上至于父母，下至于儿孙，必致其福而后已，故正心即是神，神与神相亲，又何疑乎！

【译文】

心中有一丝邪气，鬼怪就会产生，因此鬼神就会折磨人心，撩拨人心，让人白日记挂，夜里做梦，长此以往一定会酿成灾祸。所以不正之心就是鬼，鬼和鬼之间相互呼应，又有什么值得奇怪的呢？

心中有一丝正气，神灵就会产生，因此神灵会看到人的所作所为，尽力保护，上至父母，下到儿孙，一定会受到神的赐福，所以正义之心就是神，神和神之间相互呼应，又有什么值得怀疑的呢？

【原文】

终日说善言，不如做好一件；
终身行善事，须防错了一件。

【译文】

每天嘴里都说着好话，不如做一件善事；
一辈子做好事，要留心做错一件事。

【原文】

物力维艰，要知吃饭穿衣，谈何容易；
光阴迅速，即使读书行善，能有几多？

【译文】

衣服日用来之不易，要知道能吃上饭、穿上衣服，不是那么容易；

光阴飞逝，人的寿命如此有限，即使读书、做善事又能做多长时间呢？

【原文】

只字必惜，贵之根也；
粒米必珍，富之源也；
片言必谨，福之基也；
微命必护，寿之本也。

【译文】

再有限的知识都爱惜，这是品行高贵的根本；
每粒米都珍惜，这是富足的根基；
说得每句话都谨慎，这是积富的基础；
爱护幼小的生命，是长寿的本原。

【原文】

作践五谷，非有奇祸，必有其穷；
爱惜只字，不但显荣，亦当延寿。

【译文】

糟蹋粮食，如果没有遭受飞来横祸，就一定会贫困受穷。

爱惜知识，不但能飞黄腾达，也能延长寿命。

【原文】

茹素，非圣人教也；

好生，则上天意也。

【译文】

吃素不是圣贤之人倡导的，

爱惜生命却是上天的旨意。

【原文】

仁厚刻薄，是修短关；

谦卑骄满，是祸福关；

勤俭奢惰，是贫富关；

保养纵欲，是人鬼关。

【译文】

仁爱宽厚或是刻薄，会影响人寿命的长短；

谦虚卑微或是骄傲自满，会影响人的福祸。

勤劳节俭或是奢侈懒惰，会影响人的贫富。

休养生息或是放纵欲望，会影响人的生死。

【原文】

造物所忌，曰刻曰巧。

万类相感，以诚以忠。

做人无成心，便带福气。

做事有结果，亦是寿征。

【译文】

上天所厌恶的，是尖酸刻薄、投机取巧。

世间万物能够相互感应，应用真诚忠实对待万物。

做人没有偏见，就会招来福气。

做事有始有终，也是长寿的象征。

【原文】

执拗者福轻，而圆通之人其福必厚；
急躁者寿夭，而宽宏之士其寿必长。

【译文】

偏执倔强的人福泽少，圆融通达的人福泽一定多；
性情急躁的人寿命短，心胸宽阔的人寿命一定长。

【原文】

谦卦[①]六爻[②]皆吉，恕字终身可行。

【注释】

①谦卦：六十四卦之一。②六爻（yáo）：六次占卜的结果。

【译文】

谦卦六爻都寓意着吉祥，宽恕是值得终身保持的品德。

【原文】

作本色人，说根心话，干近情事。

【译文】

做真正的自我，要说真心话，要做符合常情的事。

【原文】

一点慈爱，不但是积德种子，亦是积福根苗，试看哪有不慈爱底圣贤；

一念容忍，不但是无量德器，亦是无量福田，试看哪有不容忍底君子。

【译文】

有一点慈爱之心，不但是积德，也是积福，你看哪有不慈爱的圣贤之人？

有一点容忍之念，不但是气度宽宏，也是积累无尽的福泽，你看哪有不宽宏大量的君子？

【原文】

好恶之念，萌于夜气，息之于静也；
恻隐之心，发于乍见，感之于动也。

【译文】

人的善恶之念，萌发于暗夜之时，消失于安静之处；

人的怜悯之心，产生于突然看见的一瞬间，感动于被触发的一刻。

【原文】

塑像栖神，盍归奉亲；

造院居僧，盍往救贫。

【译文】

与其塑造佛像，供奉神灵，不如回到家里奉养双亲；

与其建造寺庙，供养僧人，不如支援灾区救济穷人。

【原文】

费千金而结纳势豪，孰若倾半瓢之粟以济饥饿；

构千楹而招徕宾客，何如葺数椽之屋以庇孤寒。

悯济人穷，虽分文升合，亦是福田；

乐与人善，即只字片语，皆为良药。

【译文】

耗费千金去攀附权贵，怎比得上倒光自己的半瓢小米去救济饥饿的人；

建造豪宅来招待客人，怎比得上修几间茅屋去庇护孤苦而受寒的人。

同情救济穷人，虽然只是一文钱一升米，也是积福；

乐于帮助别人，即使只是几个字几句话，都是良药。

【原文】

谋占田园，决生败子；

尊崇师傅，定产贤郎。

【译文】

图谋霸占别人田地的人，必定有败坏家业的儿子；

尊敬自己老师的人，一定能有恭顺贤良的子孙。

【原文】

平居寡欲养身，临大节则达生委命；

治家量入为出，干好事则仗义轻财。

【译文】

平时节制欲念修身养性，但是面对大是大非时就能通晓大义交付自己的生命；

管理家用根据收入安排支出，但是做好事时就要秉持正义不吝惜财物。

【原文】

善用力者就力，

善用势者就势，

善用智者就智，

善用财者就财。

【译文】

善长运用力气的人就用力气做好事；

善长运用权力的人就用权力做好事；

善于运用智慧的人就用智慧做好事；

善长运用钱财的人就用钱财做好事。

【原文】

身世多险途，急须寻求安宅；

光阴同过客，切莫汩没主翁。

【译文】

身世多舛误险恶，急需寻找安身立命之处；

光阴如匆匆过客，千万不要埋没了主人。

【原文】

莫忘祖父积阴功，须知文字无权，全凭阴骘；

最怕生平坏心术，毕竟主司有眼，如见心田。

【译文】

不要忘记祖先积下的阴德，要知道文字没有权力，考场之中的表现全靠祖宗的阴德庇佑；

最怕一生心术不正，毕竟考官眼神犀利，能够看穿人的心思。

【原文】

天下第一种可敬人，忠臣孝子。

天下第一种可怜人，寡妇孤儿。

孝子百世之宗，仁人天下之命。

【译文】

天底下最值得尊敬的人，是忠诚的大臣和孝顺的孩子。

天底下最值得同情的人，是失去丈夫的女子和没有父母的孩子。

孝子是百年的宗师，有仁爱之心的人是天下道义的命脉。

【原文】

形之正，不求影之直而影自直。

声之平，不求响之和而响自和。

德之崇，不求名之远而名自远。

【译文】

身形端正，即使不追求影子的笔直，影子也是直的。

声音平和，即使不追求得到响应，也自然会得到相应。

道德崇高，即使不求声名远播，名声也自会流传。

【原文】

有阴德者，必有阳报；

有隐行者，必有昭名。

【译文】

积阴德的人，一定有好的回报；

暗暗做好事，一定有响亮的名声。

【原文】

施必有报者，天地之定理，仁人述之以劝人；

施不望报者，圣贤之盛心，君子存之以济世。

【译文】

给予就想要得到回报，是世间不变的道理，仁人叙述这样的道理来劝人向善；

给予不期回报，这是圣贤之人的伟大胸襟，君子保有这种胸襟来帮助世人。

【原文】

面前的理路要放得宽，使人无不平之叹；

身后的惠泽要流得远，令人有不匮之思。

【译文】

自己面前的道路要广阔，使别人不会对你有不公平的叹息；

留给后人的恩泽要长远，使人对你有不尽的思念。

【原文】

不可不存时时可死之心，不可不行步步求生之事。

作恶事，须防鬼神知；干好事，莫怕旁人笑。

【译文】

不能不存随时会死的心，不能不小心求生存。

做坏事要提防鬼神知道，做好事不要怕别人笑话。

【原文】

吾本薄福人，宜行惜福事；

吾本薄德人，宜行积德事。

薄福者必刻薄，刻薄则福愈薄矣；

厚福者必宽厚，宽厚则福益厚矣。

【译文】

我是没有福气的人，所以应该做珍惜福气的事；

我是很少积德的人，所以应该做积德的事。

福气少的人必定刻薄，愈刻薄则福气愈少；

福分厚的人必定宽厚，愈宽厚则福分愈多。

【原文】

有工夫读书，谓之福。有力量济人，谓之福。

有著述行世，谓之福。有聪明浑厚之见，谓之福。
无是非到耳，谓之福。无疾病缠身，谓之福。
无尘俗撄[1]心，谓之福。无兵凶荒歉之岁，谓之福。

【注释】

①撄（yīng）：扰乱。

【译文】

有时间读书，称得上幸福。有能力帮助别人，称得上幸福。
能发表自己的著作，称得上幸福。有高明的见识，称得上幸福。
没有听到自己的闲话，称得上幸福。没有身患重病，称得上幸福。
没有烦心的琐事，称得上幸福。没有战乱、收成不好或者颗粒无收的年月，称得上幸福。

【原文】

从热闹场中，出几句清冷言语，便扫除无限杀机；
向寒微路上，用一点赤热心肠，自培植许多生意。

【译文】

在复杂的场合中说几句公道话，便能化解许多麻烦；
对贫困的人用一点热心肠，就能培养许多生机。

【原文】

入瑶树琼林中皆宝，有谦德仁心者为祥。

【译文】

进入宝山之中一切都是宝，具有谦虚的美德、仁慈之心的人都会平安吉祥。

【原文】

谈经济外，宁谈艺术，可以给用。
谈日用外，宁谈山水，可以息机。
谈心性外，宁谈因果，可以劝善。

【译文】

金钱以外，谈谈艺术，可受用许多。

生活以外，聊聊山水，可去机巧之心。

人性以外，说些因果报应，可助人为善。

【原文】

艺花可以邀蝶，垒石可以邀云，栽松可以邀风，

植柳可以邀蝉，贮水可以邀萍，筑台可以邀月，

种蕉可以邀雨，藏书可以邀友，积德可以邀天。

【译文】

养花能招来蝴蝶，堆石可招来云雾，种松树可以招风，

种柳可以招蝉，贮水可引来浮萍，建高台可揽明月，

种芭蕉可邀雨，收藏图书可邀来朋友，积阴德可上青天。

【原文】

作德日休，是谓福地①。

居易俟命，是谓洞天。

【注释】

①福地：与后句的洞天连用，“洞天福地”常指仙人的住处。

【译文】

不停地积德，是有福的处境。

顺其自然不强求，是了解天意。

【原文】

心地上无波涛，随在皆风恬浪静；

性天中有化育，触处见鱼跃鸢飞。

【译文】

内心平静安宁，不论在哪里都风平浪静；

天性得以教化，到处都能看到鱼跃水面、鹰击长空。

【原文】

贫贱忧戚，是我分内事，当动心忍性，静以俟之，更行一切善，以斡转之；

富贵福泽，是我分外事，当保泰持盈，慎以守之，更造一切福，以凝承之。

【译文】

贫穷、卑贱、担忧是我能改变的，应该隐忍，耐心等待时机，更应该尽己所能地做善事，以改变贫穷卑贱的境况；

钱财、权贵、福祉不是我能控制的，应该保证安定美满，小心地守护他们，更应当尽己所能去积累福气，使宝贵荣华经久不息。

【原文】

世网[1]那能跳出，但当忍性耐心，自安义命，即网罗中之安乐窝也；

尘务岂能尽捐，惟不起炉作灶，自取纠缠，即火坑中之清凉散也。

【注释】

①世网：指道德、法规对人的约束。

【译文】

入世如网，怎能跳出来？只要能够忍耐，并安于现状，就是尘网中的安乐之地；

世间的俗务，哪能丢得光？只要不再给自己找事，自寻烦恼，就是火坑里的清凉剂。

【原文】

热不可除，而热恼可除，秋在清凉台上；

穷不可遣，而穷愁可遣，春生安乐窝中。

【译文】

无法驱除炎热，但能驱除令人气躁的事，内心像处于清凉台上一样凉爽；

不能改变贫穷，但能排解数不清的忧愁，内心像在安乐窝里一样充满生机。

【原文】

富贵贫贱，总难称意，知足即为称意；

山水花竹，无恒主人，得闲便是主人。

【译文】

富有显贵或是贫穷卑微，总是难以完全符合人的心意，懂得知足就能满足；

高山流水、鲜花翠竹，没有不变的主人，内心闲适愿意观赏的人便是主人。

【原文】

要足何时足，知足便足；

求闲不得闲，偷闲即闲。

【译文】

想要的东西很多总不能满足，懂得知足就会感到满足；

想要放松却不得空闲，能忙里偷闲一下就是放松了。

【原文】

知足常足，终身不辱；

知止常止，终身不耻。

【译文】

懂得满足、并以此为乐，一生不会受到欺侮；

懂得适可而止、量力而行，一生不会感到羞耻。

【原文】

急行缓行，前程总有许多路；

逆取顺取，命中只有这般财。

【译文】

不论是走得快还是走得慢，为了实现自己的目标都要走很多路；

不论是不该得的还是应该得的，命中早已注定你就只有这些数量的钱财。

【原文】

理欲交争，肺腑成为吴越[①]；

物我一体，参商[②]终是弟兄。

【注释】

①吴越：吴国和越国是敌对有仇的两个国家。这里指仇敌。②参商：参星和商星，二星升起和落下的时间完全相反，永不相见，比喻不和睦。

【译文】

公理和私欲斗争，关系亲密的人都会成为仇敌；

世间万物和我融为一体，即使关系不和的人最终都能成兄弟。

【原文】

以积货财之心积学问，以求功名之心求道德；

以爱妻子之心爱父母，以保爵位之心保国家。

【译文】

用敛财聚宝的心来积累学识，用谋求名利的心提升自己的道德，

用爱护妻子儿女的心赡养父母，用巩固自己官职的心来保卫国家。

【原文】

移作无益之费以作有益，则事举；

移乐宴乐之时以乐讲习，则智长；

移信邪道之意以信圣贤，则道明；

移好财色之心以好仁义，则德立；

移计利害之私以计是非，则义精；

移养小人之禄以养君子，则国治；

移输和戎之赀以输军国，则兵足；

移保身家之念以保百姓，则民安。

【译文】

把花在无用之事上的钱用于有用的事，那么事业就会有所成；

把花在玩耍享乐上的时间用于学习知识，那么智慧就能增加；

把信奉歪理邪说的意念用于信奉圣贤的教诲，那么道义就会明晰；

把贪财好色的的心用于追求仁爱信义，那么德行就能树立；

把计较得失的私心用于明辨是非，那么道义就能精通；

把供养小人的钱用于奉养君子，那么国家就能安定昌盛；

把进贡给异族的钱财用于扩充国家军需，那么军队就能强大；

把保全自己性命家财的方法用于保护百姓，那么百姓就能安居乐业。

【原文】

做大官底是一样家数，做好人底是一样家数。

【译文】

做高官的人，家里的规矩是一样的，做好人的人，家里的规矩是一样的。

【原文】

潜居尽可以为善，何必显宦？躬行孝弟，志在圣贤。纂辑先哲格言，刊刻广布，行见化行一时，泽流后世，事业之不朽，蔑以加焉；

贫贱尽可以积福，何必富贵？存平等心，行方便事，效法前人懿行，训俗型方[①]，自然谊教宗族，德被乡邻，利济之无穷，孰大于是。

【注释】

①型方：榜样。

【译文】

就算隐居也完全能做好事，为什么一定要位高权重呢？能孝顺父母、爱护兄弟，有成为圣贤的志向。收集编纂先哲的语录，将它刊刻出版广泛地传播出去，虽只教化一时，但福泽能绵延后世，没有比这更永垂不朽的事业了。

就算贫穷卑微也完全能积福，为什么一定要大富大贵呢？有一颗公正的心，做与人方便的事，效仿古人的美好德行，教化世俗树立榜样，自然能使亲人友爱和睦，德泽延及同乡邻居，没有比这更深远的益处了。

【原文】

一时劝人以口，百世劝人以书。

【译文】

短暂地勉励、劝告别人可以用言语，想要长久地教育人就要用书。

【原文】

静以修身，俭以养德；

入则笃行，出则友贤。

【译文】

修身养性要注重清静，培养品德要注重节俭；

在家中踏实做事，在外面礼让朋友。

【原文】

读书者不贱，守田者不饥，

积德者不倾，择交者不败。

【译文】

读书人地位不会低贱，勤劳耕种的人不会挨饿，

积累福祉的人举止端正，交友小心的人不会受挫。

【原文】

明镜止水以澄心，泰山乔岳以立身，

青天白日以应事，霁月光风以待人。

【译文】

内心澄清得像镜子般明亮、像不流的水一样澄澈；用泰山的崇高来约束自己的品行；

做事要清正廉明，不偏袒徇私；待人要心胸坦荡，没有不能告人之事。

【原文】

省费医贫，弹琴医躁，独卧医淫，随缘医愁，读书医俗。

【译文】

节省开支能医贫穷，弹琴能医心性浮躁，一个人睡能节制欲望，顺其自然能治忧虑，读书能治俗气。

【原文】

以鲜花视美色，则孽障自消；
以流水听弦歌，则性灵何害？

【译文】

像看鲜花一样看待美色，痴迷眷恋自然就消除了；
像听流水声一样听美妙的音乐，对心性有什么损害呢？

【原文】

养德宜操琴，练智宜奕棋，遣情宜赋诗，澄心宜静坐，
解事宜读史，得意宜临书，静坐宜焚香，醒睡宜嚼茗，
体物宜展画，迁境宜按歌，阅候①宜灌花，保形宜课药②，
隐心宜调鹤，孤况宜闻蛩，涉趣宜观鱼，忘机宜饲雀，
幽寻宜藉草，淡味宜掬泉，独立宜望山，闲吟宜倚树，
清谈宜剪烛，独啸宜登台，逸兴宜投壶③，结想④宜欹枕，
息缘⑤宜闭户，探景宜携囊，爽致宜临风，愁怀宜伫月，
倦游宜听雨，玄悟⑥宜对雪，辟寒宜映日，空累宜看云，
谈道宜访友，福厚宜积德。

【注释】

①阅候：观察季节天气的变化。②课药：考察药性。③投壶：古代宴饮时的一种游戏，参加宴会的人依次将矢投入一种特制的壶中，投中最多的人赢，输了的人要喝酒。④结想：专心地思考。⑤息缘：不参与世务。⑥玄悟：大彻大悟。

【译文】

想提升修养应当弹琴，想提高智慧应当下棋，想排解情绪应

当写诗，想内心澄澈应当静坐，

想了解事理应当读史书，得意时应当临摹字帖，安坐时应当焚香，睡醒后应当品茗，

体察事物应当欣赏字画，改变环境时应当唱歌，想观察气侯变化应当浇花，爱护身体应当进补，

静心应当逗鹤，孤独时应当听蛩音，享受乐趣应当赏鱼，不生心机应当喂鸟，

寻找幽静之处应当躺在草上，想品尝清淡之味应当喝喝泉水，一个人时适合眺望远山，安闲吟诵适合靠着树，

夜里清谈应当点着蜡烛，一个人大吼时应当登上高楼，有闲情逸致时应当玩投壶，专心思考时应当枕着枕头，

想摆脱世务应当关门谢客，寻访美景应当带着食物，想要清爽应当吹吹风，内心忧愁时应当在月亮下伫立，

出行倦怠时应当听雨声，想要大彻大悟时应当赏雪，躲避严寒应当晒太阳，疲惫劳累时应当看云，

想谈论天道应当拜访朋友，想造福后人就应当积累恩德。

悖凶类

【原文】

富贵家不肯从宽，必遭横祸；

聪明人不肯学厚，必夭天年。

【译文】

富贵人家如果不愿意宽容待人，一定会遭遇意外的灾祸；

聪明的人如果不愿意待人诚恳，一定会减损寿命。

【原文】

倚势欺人，势尽而为人欺；

恃财侮人，财散而受人侮。

【译文】

倚仗自己的势力欺压别人，等到失去倚仗时就会被人欺负；

凭借自己的财富侮辱别人，等到家财散尽时就会被人欺侮。

【原文】

暗里算人者，算的是自家儿孙；

空中造谤者，造的是本身罪孽。

【译文】

暗地里算计别人的人，其实算计的是自己的后世子孙；

无中生有说人坏话的人，其实是给自己种下恶因。

【原文】

饱肥甘①，衣轻暖，不知节者损福；

广积聚，骄富贵，不知止者杀身。

【注释】

①肥甘：肥美甘甜，指美味的食物。

【译文】

享用美味的食物，身穿轻薄暖和的华服，如此还不懂得节制的人，会损害他的福气；

广积田宅，为自己的富有、显赫而自得，如此还不懂收手的人，会招来杀身之祸。

【原文】

文艺自多，浮薄之心也；

富贵自雄，卑陋之见也。

【译文】

以为自己文采出众就自鸣得意，这是轻浮肤浅的想法；

以为自己富有、显赫就傲视别人，这是低下粗俗的见识。

【原文】

位尊身危，财多命殆。

【译文】

地位尊贵了处境就艰难了，钱财多了性命就危险了。

【原文】

机[①]者，祸福所由伏，人生于机，即死于机也；

巧[②]者，鬼神所最忌，人有大巧，必有大拙也。

【注释】

①机：事物的因果变化。②巧：弄虚作假。

【译文】

事物的因果变化中包含着灾难和忧患，人从因果变化中出生，也在因果变化中死亡；

弄虚作假、投机取巧是鬼神最为忌讳的，人如果有至虚至假，就一定有至诚至真。

【原文】

出薄言，做薄事，存薄心，种种皆薄，未免灾及其身；

设阴谋，积阴私，伤阴骘，事事皆阴，自然殃流后代。

【译文】

说话刻薄，做事刻薄，不安好心，这些都是不厚道的举动，免不了要给自己招来灾祸；

计划坏事，积累不义之财，做伤天害理的事，这些都是损福祉的举动，自然会连累后代子孙。

【原文】

积德于人所不知，是谓阴德。阴德之报，较阳德倍多；

造恶于人所不知，是谓阴恶。阴恶之报，较阳恶加惨。

【译文】

在别人不知道的时候做好事，叫作阴德，它得到的回报比明着做好事更多；

在别人不知道的时候做坏事，叫作阴恶，它得到的惩罚比明着做坏事更重。

【原文】

家运有盛衰，久暂虽殊，消长循环如昼夜；

人谋分巧拙，智愚各别，鬼神彰瘅[1]最严明。

【注释】

①瘅（dàn）：憎恨。

【译文】

家道的兴盛衰落、时间的长短虽然不同，但是此消彼长、轮流替换就像白天和黑夜；

人的智谋有机敏、鲁钝之分，聪慧、愚笨不相同，但鬼神扬善惩恶却是严格分明的。

【原文】

天堂无则已，有则君子登；

地狱无则已，有则小人入。

【译文】

没有天堂就罢了，如果有，那么君子已经进入天堂了；

没有地狱就罢了，如果有，那么小人已经进入地狱了。

【原文】

为恶畏人知，恶中冀有转念；

为善欲人知，善处即是恶根。

【译文】

做坏事害怕别人知道，这是虽然作恶却有悔改的念头；
做好事想要别人知道，这是虽然行善却有作恶的苗头。

【原文】

谓鬼神之无知，不应祈福；
谓鬼神之有知，不当为非。

【译文】

如果认为鬼神不知道人间的事，那么就不要祈求他们赐福；
如果认为鬼神知道人间的事，那么就不该为非作歹。

【原文】

势可为恶而不为，即是善；
力可行善而不行，即是恶。

【译文】

有做坏事的能力却没有做，就是善的表现；
有能力做好事却没有做，就是恶的表现。

【原文】

于福作罪，其罪非轻；
于苦作福，其福最大。

【译文】

生活幸福却做坏事，这么做获得的惩罚不轻；
生活贫困仍做好事，这么做获得的福祉最大。

【原文】

行善如春园之草，不见其长，日有所增；
行恶如磨刀之砖，不见其消，日有所损。

【译文】

做好事就像春天花园中的草，看不到它在长，但每天都长一点；
做坏事就像磨刀的石头，看不到它损耗，但每天都损耗一点。

【原文】

使[1]为善而父母怒之，兄弟怨之，子孙羞之，宗族乡党贱恶之，如此而不为善，可也。

为善则父母爱之，兄弟悦之，子孙荣之，宗族乡党敬信之，何苦而不为善！

使为恶而父母爱之，兄弟悦之，子孙荣之，宗族乡党敬信之，如此而为恶，可也。

为恶则父母怒之，兄弟怨之，子孙羞之，宗族乡党贱恶之，何苦而必为恶！

【注释】

①使：假如。

【译文】

假如做好事让父母生气，兄弟记恨，子孙受辱，亲人、同乡都鄙视厌恶，因此不做好事，是可以的。

要是做好事能让父母喜欢，兄弟高兴，子孙自豪，亲人、同乡都敬佩信服，那么为什么不做好事呢！

假如做坏事让父母喜欢，兄弟高兴，子孙自豪，亲人、同乡都敬佩信服，因为这而做坏事，是可以的。

要是做坏事让父母生气，兄弟记恨，子孙受辱，亲人、同乡都鄙视厌恶，那么为什么还做坏事呢！

【原文】

为善之人，非独其宗族亲戚爱之，朋友乡党敬之，虽鬼神亦阴相[①]之；

为恶之人，非独其宗族亲戚叛之，朋友乡党怨之，虽鬼神亦阴殛[②]之。

【注释】

①相：暗中保护。②殛（jí）：惩罚。

【译文】

做好事的人，不仅他的亲人喜欢他，朋友、同乡敬佩他，就连鬼神也在暗中保佑他；

做坏事的人，不仅他的亲人疏远他，朋友、同乡记恨他，就连鬼神也在暗中惩罚他。

【原文】

为一善而此心快惬，不必自言，而乡党称誉之，君子敬礼之，鬼神福祚[1]之，身后传诵之。

为一恶而此心愧怍，虽欲掩护，而乡党传笑之，王法刑辱之，鬼神灾祸之，身后指说之。

【注释】

①福祚：赐福于人。

【译文】

做一件好事心中就会愉快高兴，不必自己多说，同乡也会称赞，君子以礼相待，上天赐福，死后事迹在后代流传。

做一件坏事心中就会惭愧心虚，虽然想要隐瞒，但同乡还是会传为笑谈，要受到刑罚的惩戒，上天也会降下灾祸，死后被人指摘、唾弃。

【原文】

一命[1]之士，苟存心于爱物，于人必有所济；

无用之人，苟存心于利己，于人必有所害。

【注释】

① 命：等级最低的官职，这里指官位低微。

【译文】

哪怕只是小官，如果有心关爱万物，对于众人也会有所帮助；

没有才能的人，如果一心要为自己谋取私利，对于众人也会造成危害。

【原文】

膏粱积于家，而剥削人之糠覆[1]，终必自亡其膏粱；

文绣充于室，而攘[2]取人之敝裘[3]，终必自丧其文绣。

【注释】

①糠覆：没有加工过的粗糙的食物。②攘：偷。③敝裘（qiú）：破衣服。

【译文】

家中有的是珍馐美味，却侵占别人的粗茶淡饭的人，最后一定会失去他的珍馐美味；

屋里有的是华服美衣，却偷窃别人的破烂衣服的人，最后一定会失去他的华服美衣。

【原文】

天下无穷大好事，皆由于轻利之一念。利一轻，则事事悉属天理，为圣为贤，从此进基。

天下无穷不肖事，皆由于重利之一念。利一重，则念念皆违人心，为盗为跖，从此直入。

【译文】

天下有数不清的让人交口称赞的好事，都是由不看重利益所致。不看重利益，所有事都会顺应天理，要做圣贤之人，就是从这开始的。

天下有数不清的让人咬牙切齿的坏事，都是由看重利益所致。看重利益，所有的念头都会违背人的本性，沦为大贼大盗，就是从这开始的。

【原文】

清欲人知，人情之常。

今吾见有贪欲人知者矣，朵其颐①，垂其涎②，惟恐人误视为灵龟而不饱其欲也；善不自伐，盛德之事。

今吾见有自伐其恶者矣，张其牙，露其爪，惟恐人不识为猛虎而不畏其威也。

【注释】

①朵其颐：朵颐原指吃东西，这里形容非常渴望拥有的神态和举止。

②垂其涎：流口水。

【译文】

想让别人知道自己品性公正清明，这是人之常情，可以理解。

现在我看到有种人自己贪婪还想要别人也知道，鼓着腮帮子，流着口水，生怕别人误认为他是灵龟而不满足他的欲望；做好事却不自夸，这是有至圣品德之人做的事。

现在我看到有种人竟然吹嘘自己的凶恶，张牙舞爪，生怕别人不知道他是凶猛的老虎、不畏惧他的威仪。

【原文】

世之愚人，
以奢为有福，以杀为有禄，
以淫为有缘，以诈为有谋，
以贪为有为，以吝为有守，
以争为有气，以嗔为有威，
以赌为有技，以讼为有才。

【译文】

世间愚昧的人，
把奢侈当作享福，把杀戮当作俸禄，
把淫乱当作缘分，把欺诈当作有智谋，
把贪婪当作进取，把吝啬当作会守财，
把争夺当作有气势，把嗔怒当作威风，
把赌博当作技能，把争辩当作才能。

【原文】

谋馆[①]如鼠，得馆如虎，鄙主人而薄弟子者，塾师之无耻也。

卖药如仙，用药如颠[②]，贼人命而诿天数者，医师之无耻也。

觅地如瞽[③]，谈地如舞，矜异传而谤同道者，地师[④]之无耻也。

【注释】

①馆：古代私塾先生教书之地。②颠：通“癫”，精神不正常。③瞽：眼瞎。④地师：风水先生。

【译文】

求职时像老鼠一样谨慎，任教后像老虎一样狂傲，看不起主人，敷衍学生，这是教书先生的无耻行为。

卖药时像仙人一样，开方治病时像疯子一样，杀害性命还推脱是天命所为，这是医者的无耻行为。

寻找宝地时像瞎子一样乱指，空谈理论时眉飞色舞，故弄玄虚又诋毁同行，这是风水先生的无耻行为。

【原文】

不可信之师，勿以私情荐之，使人托以子弟。

不可信之医，勿以私情荐之，使人托以生命。

不可信之堪舆①，勿以私情荐之，使人托以先骸。

不可信之女子，勿以私情媒之，使人托以宗嗣。

【注释】

①堪舆：风水。

【译文】

不能信任的教书先生，不要因为私下的交情就推荐他，让旁人把子弟交给他。

不能信任的医者，不要因为私下的交情就推荐他，让旁人把性命交给他。

不能信任的风水先生，不要因为私下的交情就推荐他，让旁人把先人的尸骨交给他。

不能信任的女子，不要因为私下的交情就为她说媒，让旁人把子孙后代交给她。

【原文】

肆傲者纳侮，讳过者长恶。

贪利者害己，纵欲者戕生。

【译文】

放纵傲慢的人会受到侮辱，忌讳自己过失的人会助长恶行。

贪图钱财的人是在害自己，放纵欲望的人是在伤害生命。

【原文】

鱼吞饵，蛾扑火，未得而先丧其身。

猩醉体，蚊饱血，已得而随亡其躯。

鹚食鱼，蜂酿蜜，虽得而不享其利。

欲不除，似蛾扑灯，焚身乃止。

贪不了，如猩嗜酒，鞭血方休。

【译文】

鱼吃饵，飞蛾扑火，没得到好处却先送了性命。

猩猩喝醉，蚊子喝饱了血，虽然得到好处，但接着就会丧命。

鸬鹚吃鱼，蜜蜂酿造蜂蜜，虽然得到好处，但自己不享受这好处。

欲望如果不消除，就像飞蛾扑火，烈火烧到身体才停下来。

贪心如果不加制止，就像猩猩爱喝酒，被鞭子打出血才停止。

【原文】

明星朗月，何处不可翱翔？而飞蛾独趋灯焰。

嘉卉清泉，何物不可饮啄？而蝇蚋[1]争嗜腥膻。

【注释】

①蝇蚋（ruì）：苍蝇和蚊子。

【译文】

星星闪亮，月光皎洁，哪里不能飞翔呢？但是飞蛾偏偏要飞向灯火。

花朵艳丽，泉水清澈，什么东西不能吃、不能喝呢？可是苍蝇蚊子偏偏喜欢腥臊的味道。

【原文】

飞蛾死于明火，故有奇智者，必有奇殃；

游鱼死于芳纶[1]，故有善嗜者，必有美毒。

【注释】

①纶：钓鱼线。

【译文】

飞蛾死在明亮的火焰里，因此有奇特智慧的人一定会遭受特别的灾祸；

游动的鱼死在芳香的鱼饵上，因此极度追求嗜好的人一定会遭受美味的毒害。

【原文】

慨夏畦①之劳劳，秋毫②无补；

笑冬烘③之贸贸④，春梦方回。

【注释】

①夏畦：在夏天对田地的耕种、浇灌。②秋毫：鸟兽在秋天新长出来的细小的绒毛，用来比喻微小的事物。③冬烘：形容人懵懂无知。④贸贸：眼神混沌、不清明。

【译文】

感慨自己奔波劳苦，到头来对自己没有丝毫帮助；

懵懂浅陋的人，目光不清，只有大梦初醒后才能回到现实中。

【原文】

吉人无论处世平和，即梦寐神魂，无非生意；

凶人不但作事乖戾，即声音笑貌，浑是杀机。

【译文】

善良的人待人接物平和，就连睡梦时也充满生机；

凶恶的人做事残暴、有违常理，就连他的声音和笑容也都充满杀意。

【原文】

仁人心地宽舒，事事有宽舒气象，故福集而庆长；

鄙夫胸怀苛刻，事事以苛刻为能，故禄薄而泽短。

【译文】

有仁爱之心的人，心胸宽广平和，做每件事都有宽广平和的气度，因此聚集福气并且福气绵长；

目光短浅的人，心胸狭隘，做每件事都斤斤计较，因此成就微小而福气短浅。

【原文】

充一个公己公人心，便是吴越一家；
任一个自私自利心，便是父子仇雠[1]。

【注释】

①雠（chóu）：同“仇”，仇恨，仇怨。

【译文】

大公无私，就算是仇人也能和睦相处；
自私自利，就算是父子也会反目为仇。

【原文】

理以心为用，心死于欲则理灭，如根株斩而本亦坏也；
心以理为本，理被欲害则心亡，如水泉竭而河亦干也。

【译文】

理把心当作基础，如果心因欲望而死，那么理就消失了，好比树的根茎被斩断，整个机体就会死亡一样；

心把理当作本源，如果理被欲望戕害，那么心就会枯萎，好比泉水枯竭后河水也会断流一样。

【原文】

鱼与水相合，不可离也，离水则鱼槁矣。
形与气相合，不可离也，离气则形坏矣。
心与理相合，不可离也，离理则心死矣。

【译文】

鱼和水是一体的，不能分开，没有了水，鱼就会干死。

形体和精气是一体的，不能分开，没有了精气，形体就会衰败。

心与理是一体的，不能分开，没有了理，心就会死亡。

【原文】

天理是清虚之物，清虚则灵，灵则活；
人欲是渣滓之物，渣滓则蠢，蠢则死。

【译文】

自然的法则是清净冲虚的东西，清静冲虚就会有灵气，有灵气了就会长存；

人的欲望是无用的东西，无用就会显得蠢笨，蠢笨就会导致灭亡。

【原文】

毋以嗜欲杀身，毋以货财杀子孙，毋以政事杀百姓，毋以学术杀天下后世。

【译文】

不要为了嗜好和欲望损害身体，不要为了财物贻害子孙，不要为了自己的政绩残害百姓，不要为了取得学术成就而遗祸后世。

【原文】

毋执去来之势而为权，
毋固得丧之位而为宠，
毋恃聚散之财而为利，
毋认离合之形而为我。

【译文】

不要因执着于易来易去的势力而追逐权力，
不要因执着于官职的得失而与人争宠，
不要因倚仗易聚易散的财物而谋利，
不要因执着于肉体上的享乐而为自己筹措。

【原文】

贪了世味的滋益[①]，必招性分的损；
讨了人事的便宜，必吃天道的亏。

【注释】

①滋益：人间的种种享受和娱乐。

【译文】

贪图世间的种种欲乐，一定会对心性有害；
从人世间的事情里讨了好处，一定会受到天理的惩戒。

【原文】

精工言语，于行事毫不相干；

照管皮毛，与性灵有何关涉！

【译文】

巧舌如簧，和踏实做事没有一点关系；

表面文章，和修身养性有什么关系？

【原文】

荆棘满野，而望收嘉禾者愚；

私念满胸，而欲求福应者悖。

【译文】

满地都是荆棘，却盼望丰收的人，是愚蠢的；

满心都是欲念，却祈求上天赐福的人，是荒谬的。

【原文】

庄敬非但日强也，凝心静气，觉分阴寸晷[①]，倍自舒长；

安肆非但日愉也，意纵神驰，虽累月经年，亦形迅驶。

自家过恶自家省，待祸败时，省已迟矣；

自家病痛自家医，待死亡时，医已晚矣。

【注释】

①晷（guǐ）：日影，比喻时光。

【译文】

端正恭敬地生活，不仅每天都精力充沛，心平气和，即使是片刻的时光也觉得很长；

安逸放肆地过日子，不仅每天都贪图享乐，心神不宁，即使是很长的时光也觉得很短。

反省自己的过失、错误要及时，等到灾祸来临时再反省就太晚了；

治疗自己的疾病要抓紧，等到无药可救时再医疗就来不及了。

【原文】

多事为读书第一病。

多欲为养生第一病。
多言为涉世第一病。
多智为立心第一病。
多费为作家第一病。

【译文】

爱管闲事，是读书求学最大的病患。
纵情声色，是修身养性最大的病患。
滔滔不绝，是与人交往最大的病患。
工于心计，是提升品行最大的病患。
铺张浪费，是持家理财最大的病患。

【原文】

今之用人，只怕无去处，不知其病根在来处；
今之理财，只怕无来处，不知其病根在去处。

【译文】

现在运用人，担心没有合适的职位，却不知根源在于挑选时不够谨慎；

现在管理钱财，担心钱财挣得不够多，却不知关键在于使用是否得当。

【原文】

贫不足羞，可羞是贫而无志。
贱不足恶，可恶是贱而无能。
老不足叹，可叹是老而无成。
死不足悲，可悲是死而无补。

【译文】

钱财不多不值得羞愧，该羞愧的是钱财不多却没有远大的志向。

地位低微不值得憎恨，该憎恨的是地位低微却没有出众的能力。

年纪老迈不值得哀叹，该哀叹的是年纪老迈却一事无成。

人之将死不值得悲伤，该悲伤的是死得没有价值。

【原文】

事到全美处，怨我者难开指摘之端；

行到至污处，爱我者莫施掩护之法。

【译文】

事情做到完美的境界，即便对我有怨恨的人，也难以抓住指责我的把柄；

行为到了污秽不堪的地步，即便是爱护我的人，也无法施展掩护我的办法。

【原文】

衣垢不湔，器缺不补，对人犹有惭色；

行垢不湔，德缺不补，对天岂无愧心。

【译文】

衣服脏了不洗，家当损坏了不修，这时对着别人还会脸红；

行为不端不改正，道德有失不改过，这时对着上天难道就不惭愧吗？

【原文】

供人欣赏，侪[1]风月于烟花，是曰亵天；

逞我机锋[2]，借诗书以戏谑，是名侮圣。

罪莫大于亵天，

恶莫大于无耻，

过莫大于多言。

言语之恶，莫大于造诬。

行事之恶，莫大于苛刻。

心术之恶，莫大于深险。

【注释】

①侪（chái）：同，一起。②机锋：佛教术语，论禅时言辞不落迹象，却锋芒锐利。

【译文】

在烟花之地行风流韵事来显示风流才情，是亵渎神灵；

凭作诗词书画戏谑调情来显露自己的才华，是辱没圣贤。

没有比亵渎神灵更大的罪过，

没有比寡廉鲜耻更大的恶行，

没有比多嘴多舌更大的过错。

说话的恶，最坏的是造谣生事。

做事的恶，最坏的是待人苛刻。

心思的恶，最坏的是阴险叵测。

【原文】

谈人之善，泽于膏沐；

暴人之恶，痛于戈矛。

【译文】

谈论别人好的举动，会令人觉得像洗过澡一样舒适；

暴露别人坏的举动，给人带来的痛苦会比于刀枪之伤还厉害。

【原文】

当厄之施，甘于时雨；

伤心之语，毒于阴冰。

【译文】

救人于危难的举动，比及时到来的雨还甘甜；

伤人心的言语，比阴冷的寒冰还要恶毒。

【原文】

阴岩积雨之险奇，可以想为文境，不可设为心境；

华林映日之绮丽，可以假为文情，不可依为世情。

【译文】

阴森石壁、滂沱大雨的诡谲奇特，能够当作文章的情境，但不能当作自己的心胸情怀；

秀丽山林、灿烂日出的华美艳丽，能够当作文章的藻饰，但不能当作人情世故的根基。

【原文】

巢父[1]洗耳以鸣高，予以为耳其窦[2]也，其言已入于心矣，当剖心而浣之；

陈仲出哇[3]以示洁，予以为哇其滓也，其味已入于肠矣，当刲肠而涤之。

【注释】

①巢父：许由，古代的隐士，传说他住在树上，所以又称“巢父”。②窦（dòu）：本意是孔穴，这里指耳洞。③哇：吐。

【译文】

许由洗耳朵显示自己品行的高贵，在我看来耳朵只是一个小洞，听到的话早已到了心中，应该把心剖开洗一洗才对；

陈仲吐出吃的食物显示自己品行的清白，在我看来吐出来的只是废物，食物味道早已到了肠中，应该把肠子挖出洗一洗才对。

【原文】

诋缁黄[1]之背本宗，或衿带坏圣贤名教；

詈[2]青紫[3]之忘故友，乃衡茅[4]伤骨肉天伦。

【注释】

①缁黄：代指僧侣和道士。和尚穿黑色的衣服，道士头上戴着黄色的帽子，所以叫“缁黄”。②詈（lì）：责骂。③青紫：古时公卿绶带的颜色，借指位高权重。④衡茅：用横木当门。用茅草搭建的简陋屋子，形容生活清贫。

【译文】

诽谤出家人背叛自己的祖宗，这是因为读书人先曲解了圣贤的教诲；

责骂做高官的朋友忘了老朋友，这是因为生活清贫的人先伤害了骨肉亲情。

【原文】

炎凉之态，富贵甚于贫贱；

嫉妒之心，骨肉甚于外人。

【译文】

人情的冷暖，富贵人较贫困人体会深刻；

嫉妒之心，在骨肉亲人中体现得要比外人更为严重。

【原文】

兄弟争财，父遗不尽不止；

妻妾争宠，夫命不死不休。

受连城①而代死，贪者不为，然死利者何须连城？

携倾国②以待殂③，淫者不敢，然死色者何须倾国？

【注释】

①连城：指价值可以与好几座城池相比的宝物。②倾国：指容貌可以让全国人倾倒的美人。③殂（cú）：速死。

【译文】

兄弟争夺家产，父亲的遗产全被分光了才会停；

妻子和小妾争夺宠爱，不到丈夫断气前不会停；

接受价值连城的宝物替人死，贪心的人不做这种事，但为了利而死，何需价值连城呢？

携带美人一同赴死，好色者不敢，但死于美色的人，他们所贪图的美色哪算得上倾国倾城呢？

【原文】

乌获①病危，虽童子制梃②可挞；

王嫱③臭腐，惟狐狸钻穴相窥。

【注释】

①乌获：战国时期有名的大力士。②梃（tǐng）：木棍，木棒。③王嫱：王昭君，古代四大美人之一。

【译文】

大力士乌获生病快要死了，就连小孩都可以拿着木棍打他；

四美之一的王昭君的尸体发臭腐烂了，只有狐狸可以钻到墓中偷看它。

【原文】

圣人悲时悯俗，贤人痛世疾俗，

众人混世逐俗，小人败常乱俗。

【译文】

圣人为世俗感到悲伤怜悯，贤人为世俗感到哀痛愤恨，

凡人在世俗中随波逐流，小人在世俗中为非作歹。

【原文】

读书为身上之用，而人以为纸上之用；

做官乃造福之地，而人以为享福之地。

壮年正勤学之日，而人以为养安之日。

科第本消退之根，而人以为长进之根。

【译文】

读书是为了修身修德，人们却把它当作考取功名的手段；

做官是为了造福于人，人们却把它当作享福的手段。

年轻力壮正是勤学苦读的时候，人们却把它当作是修养安闲的时候。

科举中第本该是保身谦退的时候，人们却认为是该积极进取的时候。

【原文】

盛者衰之始，福者祸之基。

福莫大于无祸，祸莫大于邀福。

【译文】

鼎盛是衰退的开始，福运是灾祸的本源。

最大的福运是没有灾祸，最大的灾祸是急切地谋求福运。